PERTO
DO CORAÇÃO
SELVAGEM

clarice

lispector

PERTO DO CORAÇÃO SELVAGEM

POSFÁCIO DE
NÁDIA BATTELLA GOTLIB

Rocco

Texto do posfácio de Nádia Battella Gotlib

Direitos desta edição reservados à
EDITORA ROCCO LTDA.
Rua Evaristo da Veiga, 65 – 11º andar
Passeio Corporate – Torre 1
20031-040 – Rio de Janeiro, RJ
Tel.: (21) 3525-2000 – Fax: (21) 3525-2001
rocco@rocco.com.br | www.rocco.com.br

Printed in Brazil/Impresso no Brasil

Preparação de originais
Pedro Karp Vasquez

Capa e projeto gráfico
Victor Burton e Anderson Junqueira

Diagramação
Adriana Moreno

CIP-Brasil. Catalogação na publicação.
Sindicato Nacional dos Editores de Livros, RJ.

L753p	Lispector, Clarice, 1920-1977
	Perto do coração selvagem / Clarice Lispector. – 1. ed. – Rio de Janeiro: Rocco, 2019.
	Inclui posfácio ISBN 978-85-325-3162-9 ISBN 978-85-8122-785-6 (e-book)
	1. Romance brasileiro. I. Título.
19-60363	CDD-869.3 CDU-82-31(81)

Meri Gleice Rodrigues de Souza – Bibliotecária CRB-7/6439

O texto deste livro obedece às normas
do Acordo Ortográfico da Língua Portuguesa.

Impressão e Acabamento Geográfica.

*"Ele estava só.
Estava abandonado,
feliz, perto do selvagem
coração da vida."*
— JAMES JOYCE

PRIMEIRA
PARTE

O PAI...

A máquina do papai batia tac-tac... tac-tac-tac... O relógio acordou em tin-dlen sem poeira. O silêncio arrastou-se zzzzzz. O guarda-roupa dizia o quê? roupa-roupa-roupa. Não não. Entre o relógio, a máquina e o silêncio havia uma orelha à escuta, grande, cor-de-rosa e morta. Os três sons estavam ligados pela luz do dia e pelo ranger das folhinhas da árvore que se esfregavam umas nas outras radiantes.

Encostando a testa na vidraça brilhante e fria olhava para o quintal do vizinho, para o grande mundo das galinhas-que-não-sabiam-que-iam-morrer. E podia sentir como se estivesse bem próxima de seu nariz a terra quente, socada, tão cheirosa e seca, onde bem sabia, bem sabia uma ou outra minhoca se espreguiçava antes de ser comida pela galinha que as pessoas iam comer.

Houve um momento grande, parado, sem nada dentro. Dilatou os olhos, esperou. Nada veio. Branco. Mas de repente num estremecimento deram corda no dia e tudo recomeçou a funcionar, a máquina trotando, o cigarro do pai fumegando, o silêncio, as folhinhas, os frangos pelados, a claridade, as coisas revivendo cheias de pressa como uma chaleira a ferver. Só faltava o tin-dlen do relógio que enfeitava tanto. Fechou os olhos, fingiu escutá-lo e ao som da música inexistente e ritmada ergueu-se na ponta dos pés. Deu três passos de dança bem leves, alados.

Então subitamente olhou com desgosto para tudo como se tivesse comido demais daquela mistura. "Oi, oi, oi...", gemeu baixinho cansada e depois pensou: o que vai acontecer agora agora agora? E sempre no pingo de tempo que vinha nada acontecia se ela continuava a esperar o que ia acontecer, compreende? Afastou o pensamento difícil distraindo-se com um movimento do pé descalço no assoalho de madeira poeirento. Esfregou o pé espiando de través para o pai, aguardando seu olhar impaciente e nervoso. Nada veio porém. Nada. Difícil aspirar as pessoas como o aspirador de pó.

– Papai, inventei uma poesia.

– Como é o nome?

– Eu e o sol. – Sem esperar muito recitou: – "As galinhas que estão no quintal já comeram duas minhocas mas eu não vi."

– Sim? Que é que você e o sol têm a ver com a poesia?

Ela olhou-o um segundo. Ele não compreendera...

– O sol está em cima das minhocas, papai, e eu fiz a poesia e não vi as minhocas... – Pausa. – Posso inventar outra agora mesmo: "Ó sol, vem brincar comigo." Outra maior:

"Vi uma nuvem pequena

coitada da minhoca

acho que ela não viu."

– Lindas, pequena, lindas. Como é que se faz uma poesia tão bonita?

– Não é difícil, é só ir dizendo.

Já vestira a boneca, já a despira, imaginara-a indo a uma festa onde brilhava entre todas as outras filhas. Um carro azul atravessava o corpo de Arlete, matava-a. Depois vinha a fada e a filha vivia de novo. A filha, a fada, o carro azul não eram senão Joana, do contrário seria pau a brincadeira. Sempre arranjava um jeito de se colocar no papel principal exatamente quando os acontecimentos iluminavam uma ou outra figura. Trabalhava séria, calada, os braços ao longo do corpo. Não precisava aproximar-se de Arlete para brincar com ela. De longe mesmo possuía as coisas.

Divertiu-se com os papelões. Olhava-os um instante e cada papelão era um aluno. Joana era a professora. Um deles bom e outro mau. Sim, sim, e daí? E agora agora agora? E sempre nada vinha se ela... pronto.

Inventou um homenzinho do tamanho do fura-bolos, de calça comprida e laço de gravata. Ela usava-o no bolso da farda de colégio. O homenzinho era uma pérola de bom, uma pérola de gravata, tinha a voz grossa e dizia de dentro do bolso: "Majestade Joana, podeis me escutardes um minuto, só um minuto podereis interromperdes vossa sempre ocupação?" E declarava depois: "Sou vosso servo, princesa. É só mandar que eu faço."

– Papai, que é que eu faço?

– Vá estudar.

– Já estudei.

– Vá brincar.

– Já brinquei.

– Então não amole.

Deu um corrupio e parou, espiando sem curiosidade as paredes e o teto que rodavam e se desmanchavam. Andou nas pontas dos pés só pisando as tábuas escuras. Fechou os olhos e caminhou, as mãos estendidas, até encontrar um móvel. Entre ela e os objetos havia alguma coisa mas quando agarrava essa coisa na mão, como a uma mosca, e depois espiava – mesmo tomando cuidado para que nada escapasse – só encontrava a própria mão, rósea e desapontada. Sim, eu sei, o ar, o ar! Mas não adiantava, não explicava. Esse era um de seus segredos. Nunca se permitiria contar, mesmo a papai, que não conseguia pegar "a coisa". Tudo o que mais valia exatamente ela não podia contar. Só falava tolices com as pessoas. Quando dizia a Rute, por exemplo, alguns segredos, ficava depois com raiva de Rute. O melhor era mesmo calar. Outra coisa: se tinha alguma dor e se enquanto doía ela olhava os ponteiros do relógio, via então que os minutos contados no relógio iam passando e a dor continuava doendo. Ou senão, mesmo quando não lhe doía nada, se ficava defronte do relógio espiando, o que ela não estava sentindo também era maior que os minutos contados no relógio. Agora, quando acontecia uma alegria ou uma raiva, corria para o relógio e observava os segundos em vão.

Foi à janela, riscou uma cruz no parapeito e cuspiu fora em linha reta. Se cuspisse mais uma vez – agora só poderia à noite – o desastre não aconteceria e Deus seria tão amigo dela, mas tão amigo que... que o quê?

– Papai, que é que eu faço?

– Eu já lhe disse: vá brincar e me deixe!

– Mas eu já brinquei, juro.

Papai riu:

– Mas brincar não termina...

– Termina sim.

– Invente outro brinquedo.

– Não quero brincar nem estudar.

– Quer fazer o quê então?

Joana meditou:

– Nada do que sei...

– Quer voar? pergunta papai distraído.

– Não, responde Joana. – Pausa. – Que é que eu faço?

Papai troveja dessa vez:

– Bata com a cabeça na parede!

Ela se afasta fazendo uma trancinha nos cabelos escorridos. Nunca nunca nunca sim sim, canta baixinho. Aprendeu a trançar um dia desses. Vai para a mesinha dos livros, brinca com eles olhando-os a distância. Dona de casa marido filhos, verde é homem, branco é mulher, encarnado pode ser filho ou filha. "Nunca" é homem ou mulher? Por que "nunca" não é filho nem filha? E "sim"? Oh, tinha muitas coisas inteiramente impossíveis. Podia-se ficar tardes inteiras pensando. Por exemplo: quem disse pela primeira vez assim: nunca?

Papai termina o trabalho e vai encontrá-la sentada chorando.

– Mas que é isso, menininha? – pega-a nos braços, olha sem susto o rostinho ardente e triste. – O que é isso?

– Não tenho nada o que fazer.

Nunca nunca sim sim. Tudo era como o barulho do bonde antes de adormecer, até até que se sente um pouco de medo e se dorme. A boca da máquina fechara como uma boca de velha, mas vinha aquilo apertando seu coração como o barulho do bonde, só que ela não ia adormecer. Era o abraço do pai. O pai medita um instante. Mas ninguém pode fazer alguma coisa pelos outros, ajuda-se. Anda tão solta a criança, tão magrinha e precoce... Respira apressado, balança a cabeça. Um ovinho, é isso, um ovinho vivo. O que vai ser de Joana?

O DIA DE JOANA

certeza de que dou para o mal, pensava Joana.

O que seria então aquela sensação de força contida, pronta para rebentar em violência, aquela sede de empregá-la de olhos fechados, inteira, com a segurança irrefletida de uma fera? Não era no mal apenas que alguém podia respirar sem medo, aceitando o ar e os pulmões? Nem o prazer me daria tanto prazer quanto o mal, pensava ela surpreendida. Sentia dentro de si um animal perfeito, cheio de inconsequências, de egoísmo e vitalidade.

Lembrou-se do marido que possivelmente a desconheceria nessa ideia. Tentou relembrar a figura de Otávio. Mal, porém, sentia que ele saíra de casa, ela se transformava, concentrava-se em si mesma e, como se apenas tivesse sido interrompida por ele, continuava lentamente a viver o fio da infância, esquecia-o e movia-se pelos aposentos profundamente só. Do bairro quieto, das casas afastadas, não lhe chegavam ruídos. E, livre, nem ela mesma sabia o que pensava.

Sim, ela sentia dentro de si um animal perfeito. Repugnava-lhe deixar um dia esse animal solto. Por medo talvez da falta de estética. Ou receio de alguma revelação... Não, não – repetia-se ela –, é preciso não ter medo de criar. No fundo de tudo possivelmente o animal repugnava-lhe porque ainda havia nela o desejo de agradar e de ser amada por alguém poderoso como a tia morta. Para depois no entanto pisá-la, repudiá-la sem contemplações. Porque a melhor frase, sempre ainda a mais jovem, era: a bondade me dá ânsias de vomitar. A bondade era morna e leve, cheirava a carne crua guardada há muito tempo. Sem apodrecer inteiramente apesar de tudo. Refrescavam-na de quando em quando, botavam um pouco de tempero, o suficiente para conservá-la um pedaço de carne morna e quieta.

Um dia, antes de casar, quando sua tia ainda vivia, vira um homem guloso comendo. Espiara seus olhos arregalados, brilhantes e estúpidos, tentando não perder o menor gosto do alimento. E as mãos, as mãos. Uma delas segurando o garfo espetado num pedaço de carne sangrenta – não morna e quieta, mas vivíssima, irônica, imoral –, a outra crispando-se na toalha, arranhando-a nervosa na ânsia de já comer novo bocado. As pernas sob a mesa marcavam compasso a uma música inaudível, a música do diabo, de pura e incontida violência. A ferocidade, a riqueza de sua cor... Avermelhada nos lábios e na base do nariz, pálida e azulada sob os olhos miúdos. Joana estremecera arrepiada diante de seu pobre café. Mas não saberia depois se fora por repugnância ou por fascínio e voluptuosidade. Por ambos certamente. Sabia que o homem era uma força. Não se sentia capaz de comer como ele, era naturalmente sóbria, mas a demonstração a perturbava. Emocionava-a também ler as histórias terríveis dos dramas onde a maldade era fria e intensa como um banho de gelo. Como se visse alguém beber água e descobrisse que tinha sede, sede profunda e velha. Talvez fosse apenas falta de vida: estava vivendo menos do que podia e imaginava que sua sede pedisse inundações. Talvez apenas alguns goles... Ah, eis uma lição, eis uma lição, diria a tia: nunca ir adiante, nunca roubar antes de saber se o que você quer roubar existe em alguma parte honestamente reservado para você. Ou não? Roubar torna tudo mais valioso. O gosto do mal – mastigar vermelho, engolir fogo adocicado.

Não acusar-me. Buscar a base do egoísmo: tudo o que não sou não pode me interessar, há impossibilidade de ser além do que se é – no entanto eu me ultrapasso mesmo sem o delírio, sou mais do que eu quase normalmente –; tenho um corpo e tudo o que eu fizer é continuação de meu começo; se a civilização dos Maias não me interessa é porque nada tenho dentro de mim que se possa unir aos seus baixos-relevos; aceito tudo o que vem de mim porque não tenho conhecimento das causas e é possível que esteja pisando no vital sem saber; é essa a minha maior humildade, adivinhava ela.

O pior é que ela poderia riscar tudo o que pensara. Seus pensamentos eram, depois de erguidos, estátuas no jardim e ela passava pelo jardim olhando e seguindo o seu caminho.

Estava alegre nesse dia, bonita também. Um pouco de febre também. Por que esse romantismo: um pouco de febre? Mas a verdade é que tenho mesmo: olhos brilhantes, essa força e essa fraqueza, batidas desordenadas do coração. Quando a brisa leve, a brisa de verão, batia no seu corpo todo ele estremecia de frio e calor. E então ela pensava muito rapidamente, sem poder parar de inventar. É porque estou muito nova ainda e sempre que me tocam ou não me tocam, sinto – refletia. Pensar agora, por exemplo, em regatos louros. Exatamente porque não existem regatos louros, compreende? assim se foge. Sim, mas os dourados de sol, louros de certo modo... Quer dizer que na verdade não imaginei. Sempre a mesma queda: nem o mal nem a imaginação. No primeiro, no centro final, a sensação simples e sem adjetivos, tão cega quanto uma pedra rolando. Na imaginação, que só ela tem a força do mal, apenas a visão engrandecida e transformada: sob ela a verdade impassível. Mente-se e cai-se na verdade. Mesmo na liberdade, quando escolhia alegre novas veredas, reconhecia-as depois. Ser livre era seguir-se afinal, e eis de novo o caminho traçado. Ela só veria o que já possuía dentro de si. Perdido pois o gosto de imaginar. E o dia em que chorei? – havia certo desejo de mentir também – estudava matemática e subitamente senti a impossibilidade tremenda e fria do milagre. Olho por essa janela e a única verdade, a verdade que eu não poderia dizer àquele homem, abordando-o, sem que ele fugisse de mim, a única verdade é que vivo. Sinceramente, eu vivo. Quem sou? Bem, isso já é demais. Lembro-me de um estudo cromático de Bach e perco a inteligência. Ele é frio e puro como gelo, no entanto pode-se dormir sobre ele. Perco a consciência, mas não importa, encontro a maior serenidade na alucinação. É curioso como não sei dizer quem sou. Quer dizer, sei-o bem, mas não posso dizer. Sobretudo tenho medo de dizer, porque no momento em que tento falar não só não exprimo o que sinto como o que sinto se transforma lentamente no que eu digo. Ou pelo menos o que me faz agir não é o que eu sinto mas o que eu digo. Sinto quem sou e a impressão está alojada na parte alta do cérebro, nos lábios – na língua principalmente –, na superfície dos braços e também correndo dentro, bem dentro do meu corpo, mas onde, onde mesmo, eu não sei dizer. O gosto é cinzento, um pouco avermelhado, nos pedaços velhos um pouco azulado, e move-se como gelatina, vagarosamente. Às vezes torna-se agudo e me fere, chocando-se comigo. Muito bem, agora pensar em céu azul, por exemplo. Mas sobretudo donde vem essa certeza de estar vivendo? Não, não passo bem. Pois ninguém se faz essas perguntas e eu... Mas é que basta silenciar para só enxergar, abaixo de todas as realidades, a única irredutível, a da existência. E abaixo de todas as dúvidas – o estudo cromático – sei que tudo é perfeito, porque seguiu de escala a escala o caminho fatal em relação a si mesmo. Nada escapa à perfeição das coisas, é essa a história de tudo. Mas isso não explica por que eu me emociono quando Otávio tosse e põe a mão no peito, assim. Ou senão quando fuma, e a cinza cai no seu bigode, sem que ele note. Ah, piedade é o que sinto então. Piedade é a minha forma de amor. De ódio e de comunicação. É o que me sustenta contra o mundo, assim como alguém vive pelo desejo, outro pelo medo. Piedade das coisas que acontecem sem que eu saiba. Mas estou cansada, apesar de minha alegria de hoje, alegria que não se sabe de onde vem, como a da manhãzinha de verão. Estou cansada, agora agudamente! Vamos chorar juntos, baixinho. Por ter sofrido e continuar tão docemente. A dor cansada numa lágrima simplificada. Mas agora já é desejo de poesia, isso eu confesso, deus. Durmamos de mãos dadas. O mundo rola e em alguma parte há coisas que não conheço. Durmamos sobre Deus e o mistério, nave quieta e frágil flutuando sobre o mar, eis o sono.

Por que ela estava tão ardente e leve, como o ar que vem do fogão que se destampa?

O dia tinha sido igual aos outros e talvez daí viesse o acúmulo de vida. Acordara cheia da luz do dia, invadida. Ainda na cama, pensara em areia, mar, beber água do mar na casa da tia morta, em sentir, sobretudo sentir. Esperou alguns segundos sobre a cama e como nada acontecesse viveu um dia comum. Ainda não se libertara do desejo-poder-milagre, desde pequena. A fórmula se realizava tantas vezes: sentir a coisa sem possuí-la. Apenas era preciso que tudo a ajudasse, a deixasse leve e pura, em jejum para receber a imaginação. Difícil como voar e sem apoio para os pés receber nos braços algo extremamente precioso, uma criança por exemplo. Mesmo só em certo ponto do jogo perdia a sensação de que estava mentindo – e tinha medo de não estar presente em todos os seus pensamentos. Quis o mar e sentiu os lençóis da cama. O dia prosseguiu e deixou-a atrás, sozinha.

Ainda deitada, quedara-se silenciosa, quase sem pensar como às vezes sucedia. Observava ligeiramente a casa cheia de sol, àquela hora, as vidraças altivas e brilhantes como se elas próprias fossem a luz. Otávio saíra. Ninguém em casa. E de tal modo ninguém dentro de si mesma que podia ter os pensamentos mais desligados da realidade, se quisesse. Se eu me visse na Terra lá das estrelas ficaria só de mim. Não era noite, não havia estrelas, impossível observar-se a tal distância. Distraída, lembrou-se então de alguém – grandes dentes separados, olhos sem cílios –, dizendo bem seguro da originalidade, mas sincero: tremendamente noturna a minha vida. Depois de falar, esse alguém ficava parado, quieto como um boi à noite; de quando em quando movia a cabeça num gesto sem lógica e finalidade para depois voltar a se concentrar na estupidez. Enchia todo o mundo de espanto. Ah, sim, o homem era de sua infância e junto à sua lembrança estava um molho úmido de grandes violetas, trêmulas de viço... Nesse instante mais desperta, se quisesse, com um pouco mais de abandono, Joana poderia reviver toda a infância... O curto tempo de vida junto ao pai, a mudança para a casa da tia, o professor ensinando-lhe a viver, a puberdade elevando-se misteriosa, o internato... o casamento com Otávio... Mas tudo isso era muito mais curto, um simples olhar surpreso esgotaria todos esses fatos.

Era um pouco de febre, sim. Se existisse pecado, ela pecara. Toda a sua vida fora um erro, ela era fútil. Onde estava a mulher da voz? Onde estavam as mulheres apenas fêmeas? E a continuação do que ela iniciara quando criança? Era um pouco de febre. Resultado daqueles dias em que vagava de um lado a outro, repudiando e amando mil vezes as mesmas coisas. Daquelas noites vivendo escuras e silenciosas, as pequenas estrelas piscando no alto. A moça estendida sobre a cama, olho vigilante na penumbra. A cama esbranquiçada nadando na escuridão. O cansaço rastejando no seu corpo, a lucidez fugindo ao polvo. Sonhos esgarçados, inícios de visões. Otávio vivendo no outro quarto. E de repente toda a lassidão da espera concentrando-se num movimento nervoso e rápido do corpo, o grito mudo. Frio depois, e sono.

... A MÃE...

Um dia o amigo do pai veio de longe e abraçou-se com ele. Na hora do jantar, Joana viu estupefacta e contrita uma galinha nua e amarela sobre a mesa. O pai e o homem bebiam vinho e o homem dizia de quando em quando:

– Nem posso acreditar que tu tenhas arranjado uma filha...

O pai voltava-se rindo para Joana e dizia:

– Comprei na esquina...

O pai estava alegre e também ficava sério, amassando bolinhas de miolo de pão. Às vezes bebia um grande gole de vinho. O homem virava-se para Joana e dizia:

– Sabes que o porquinho faz ron-ron-ron?

O pai respondia:

– Tu tens jeito para isso, Alfredo...

O nome do homem era Alfredo.

– Nem vês, continuava o pai, que a guria não está mais em idade de brincar com o que o porco faz...

Todos riam e Joana também. O pai dava-lhe mais uma asa de galinha e ela ia comendo sem pão.

– Qual a sensação de ter uma guria?, o homem mastigava.

O pai enxugava a boca com o guardanapo, inclinava a cabeça para um lado e dizia sorrindo:

– Às vezes a de ter um ovo quente na mão. Às vezes, nenhuma: perda total de memória... Uma vez ou outra a de ter uma guria minha, minha mesmo.

– Guria, guria, muria, leria, seria..., cantava o homem voltado para Joana. Que é que tu vais ser quando cresceres e fores uma moça e tudo?

– Quanto ao tudo ela não tem a menor ideia, meu caro, declarava o pai, mas se ela não se zangar te conto seus projetos. Me disse que quando crescer vai ser herói...

O homem riu, riu, riu. Parou de repente, segurou o queixo de Joana e enquanto ele segurava ela não podia mastigar:

– Não vai chorar pelo segredo revelado, não é, guria?

Depois falava-se sobre coisas que certamente tinham acontecido antes dela nascer. Às vezes mesmo não eram sobre o tipo de coisas que acontecem, só palavras – mas também de antes dela nascer. Ela preferia mil vezes que estivesse chovendo porque seria muito mais fácil dormir sem medo do escuro. Os dois homens buscavam os chapéus para sair, então ela se levantou e puxou o paletó do pai:

– Fica mais...

Os dois homens se entreolharam e houve um instante em que ela não sabia se eles haviam de ficar ou de ir. Mas quando o pai e o amigo permaneceram um pouco sérios e depois riram juntos ela soube que iam ficar. Pelo menos até que ela tivesse bastante sono para não se deitar sem ouvir chuva, sem ouvir gente, pensando no resto da casa negra, vazia e calada. Eles sentaram e fumaram. A luz começava a piscar nos seus olhos e no dia seguinte, mal acordasse, iria espiar o quintal do vizinho, ver as galinhas porque ela hoje comera galinha assada.

– Eu não podia esquecê-la, dizia o pai. Não que vivesse a pensar nela. Uma vez ou outra um pensamento, como um lembrete para pensar mais tarde. Mais tarde vinha e eu não chegava a refletir seriamente. Era só aquela fisgada ligeira, sem dor, um ah! não esboçado, um instante de meditação vaga e esquecimento depois. Chamava-se... – olhou para Joana – chamava-se Elza. Me lembro que até lhe disse: Elza é um nome como um saco vazio. Era fina, enviesada – sabe como, não é? –, cheia de poder. Tão rápida e áspera nas conclusões, tão independente e amarga que da primeira vez em que falamos chamei-a de bruta! Imagine... Ela riu, depois ficou séria. Naquele tempo eu me punha a imaginar o que ela faria de noite. Porque parecia impossível que ela dormisse. Não, ela não se entregava nunca. E mesmo aquela cor seca – felizmente a guria não puxou –, aquela cor não combinava com uma camisola... Ela passaria a noite a rezar, a olhar para o céu escuro, a velar por alguém. Eu tinha má memória, nem me lembrava por que a chamara de bruta. Mas não tão má que a esquecesse. Via-a ainda caminhando sobre um areal, os passos duros, o rosto fechado e longín- quo. O mais curioso, Alfredo, é que não poderia ter existido nenhum areal. No entanto a visão era teimosa e resistia às explicações.

O homem fumava, quase deitado na cadeira. Joana risca- va com a unha o couro vermelho da velha poltrona.

– Uma vez eu acordei com febre, de madrugada. Parece até que ainda sinto a língua dentro da boca, quente, seca, ás- pera como um trapo. Você sabe meu pavor de sofrer, prefiro vender minha alma. Pois pensei nela. Incrível. Já completara trinta e dois anos, se não me engano. Conhecera-a aos vinte, fugazmente. E num momento de angústia, dentre tantos amigos – e mesmo você, que eu não sabia por onde andava – nesse momento pensava nela. Era o diabo...

O amigo ria:

– É o diabo sim...

– Tu não imaginas sequer: nunca vi alguém ter tanta raiva das pessoas, mas raiva sincera e desprezo também. E ser ao mesmo tempo tão boa... secamente boa. Ou estou errado? Eu é que não gostava daquele tipo de bondade: como se risse da gente. Mas me acostumei. Ela não precisava de mim. Nem eu dela, é verdade. Mas vivíamos juntos. O que eu ainda agora queria saber, dava tudo para saber, é o que ela tanto pensava. Você, como me vê e como me conhece, me acharia o tipo mais simplório perto dela. Imagine então a impressão causada na minha pobre e escassa família: foi como se eu tivesse trazido para o seu rosado e farto seio – lembraste, Alfredo? – os dois riram – foi como se eu tivesse trazido o micróbio da varíola, um herege, nem sei o quê... Sei lá, eu mesmo prefiro que esse broto aí não a repita. E nem a mim, por Deus... Felizmente tenho a impressão de que Joana vai seguir seu próprio caminho...

– E então? disse o homem em seguida.

– Então... nada. Ela morreu assim que pôde.

Depois o homem disse:

– Espia, tua filha quase dorme... Faz um ato de bondade: bota-a na cama.

Mas ela não dormia. É que entrefechando os olhos, deixando a cabeça cair de lado, valia um pouco como se estivesse chovendo, tudo se misturava levemente. Assim quando ela deitasse e puxasse o lençol estaria mais acostumada com dormir e não sentiria o escuro pesando sobre o seu peito. Hoje então que ela estava com medo de Elza. Mas não se pode ter medo da mãe. A mãe era como um pai. Enquanto o pai a carregava pelo corredor para o quarto, encostou a cabeça nele, sentiu o cheiro forte que vinha dos seus braços. Dizia sem falar: não, não, não... Para animar-se pensou: amanhã, amanhã bem cedo ver as galinhas vivas.

O fim de sol tremia lá fora nos galhos verdes. Os pombos ciscavam a terra solta. De quando em quando vinham até a sala de aula a brisa e o silêncio do pátio de recreio. Então tudo ficava mais leve, a voz da professora flutuava como uma bandeira branca.

– E daí em diante ele e toda a família dele foram felizes. – Pausa – as árvores mexeram no quintal, era um dia de verão. – Escrevam em resumo essa história para a próxima aula.

Ainda mergulhadas no conto as crianças moviam-se lentamente, os olhos leves, as bocas satisfeitas.

– O que é que se consegue quando se fica feliz? sua voz era uma seta clara e fina. A professora olhou para Joana.

– Repita a pergunta...?

Silêncio. A professora sorriu arrumando os livros.

– Pergunte de novo, Joana, eu é que não ouvi.

– Queria saber: depois que se é feliz o que acontece? O que vem depois? – repetiu a menina com obstinação.

A mulher encarava-a surpresa.

– Que ideia! Acho que não sei o que você quer dizer, que ideia! Faça a mesma pergunta com outras palavras...

– Ser feliz é para se conseguir o quê?

A professora enrubesceu – nunca se sabia dizer por que ela avermelhava. Notou toda a turma, mandou-a dispersar para o recreio.

O servente veio chamar a menina para o gabinete. A professora lá se achava:

– Sente-se... Brincou muito?

– Um pouco...

– Que é que você vai ser quando for grande?

– Não sei.

– Bem. Olhe, eu tive também uma ideia – corou. – Pegue num pedaço de papel, escreva essa pergunta que você me fez hoje e guarde-a durante muito tempo. Quando você for grande leia-a de novo. – Olhou-a. – Quem sabe? Talvez um dia você mesma possa respondê-la de algum modo... – Perdeu o ar sério, corou. – Ou talvez isso não tenha importância e pelo menos você se divertirá com...

– Não.

– Não o quê? – perguntou surpresa a professora.

– Não gosto de me divertir, disse Joana com orgulho.

A professora ficou novamente rosada:

– Bem, vá brincar.

Quando Joana estava à porta em dois pulos, a professora chamou-a de novo, dessa vez corada até o pescoço, os olhos baixos, remexendo papéis sobre a mesa:

– Você não achou esquisito... engraçado eu mandar você escrever a pergunta para guardar?

– Não, disse.

Voltou para o pátio.

O PASSEIO DE JOANA

u me distraio muito, disse Joana a Otávio.

Assim como o espaço rodeado por quatro paredes tem um valor específico, provocado não tanto pelo fato de ser espaço mas pelo de estar rodeado por paredes. Otávio transformava-a em alguma coisa que não era ela mas ele mesmo e que Joana recebia por piedade de ambos, porque os dois eram incapazes de se libertar pelo amor, porque aceitava sucumbida o próprio medo de sofrer, sua incapacidade de conduzir-se além da fronteira da revolta. E também: como ligar-se a um homem senão permitindo que ele a aprisione? como impedir que ele desenvolva sobre seu corpo e sua alma suas quatro paredes? E havia um meio de ter as coisas sem que as coisas a possuíssem?

A tarde era nua e límpida, sem começo nem fim. Pássaros leves e negros voavam nítidos no ar puro, voavam sem que os homens os acompanhassem com um olhar sequer.

Bem longe a montanha pairava grossa e fechada. Havia duas maneiras de olhá-la: imaginando que estava longe e era grande, em primeiro lugar; em segundo, que era pequena e estava perto. Mas de qualquer modo, uma montanha estúpida, castanha e dura. Como odiava a natureza às vezes. Sem saber por que, pareceu-lhe que a última reflexão, misturada à montanha, concluía alguma coisa, batendo com a mão aberta sobre a mesa: pronto! pesadamente. Aquilo cinzento e verde estendido dentro de Joana como um corpo preguiçoso, magro e áspero, bem dentro dela, inteiramente seco, como um sorriso sem saliva, como olhos sem sono e enervados, aquilo confirmava-se diante da montanha parada. O que não conseguiria pegar com a mão estava agora glorioso e alto e livre e era inútil tentar resumir: ar puro, tarde de verão. Porque havia seguramente mais do que isso. Uma vitória inútil sobre as árvores folhudas, um sem que fazer de todas as coisas. Oh, Deus. Isso, sim, isso: se existisse Deus, é que ele teria desertado daquele mundo subitamente excessivamente limpo, como uma casa ao sábado, quieta, sem poeira, cheirando a sabão. Joana sorriu. Por que uma casa encerada e limpa deixava-a perdida como num mosteiro, desolada, vagando pelos corredores? E muitas coisas que observava ainda. Assim, se suportava o gelo sobre o fígado, era atravessada por sensações longínquas e agudas, por ideias luminosas e rápidas, e se então tivesse que falar diria: sublime, com as mãos estendidas para frente, talvez os olhos cerrados.

– Então eu me distraio muito, repetiu.

Sentiu-se um galho seco, espetado no ar. Quebradiço, coberto de cascas velhas. Talvez estivesse com sede, mas não havia água por ali perto. E sobretudo a certeza asfixiante de que se um homem a abraçasse naquele momento sentiria não a doçura macia nos nervos, mas o sumo de limão ardendo sobre eles, o corpo como madeira próxima do fogo, vergada, estalante, seca. Não podia acalentar-se dizendo: isto é apenas uma pausa, a vida depois virá como uma onda de sangue, lavando-me, umedecendo a madeira crestada. Não podia enganar-se porque sabia que também estava vivendo e que aqueles momentos eram o auge de alguma coisa difícil, de uma experiência dolorosa que ela devia agradecer: quase como sentir o tempo fora de si mesma, abstraindo-se.

– Eu notei, você gosta de andar, disse Otávio apanhando um graveto. Aliás você já gostava mesmo antes de casarmos.

– Sim, muito, respondeu.

Poderia dar-lhe um pensamento qualquer e então criaria uma nova relação entre ambos. Isso é o que mais lhe agradava, junto das pessoas. Ela não era obrigada a seguir o passado, e com uma palavra podia inventar um caminho de vida. Se dissesse: estou no terceiro mês de gravidez, pronto! entre ambos viveria alguma coisa. Se bem que Otávio não fosse particularmente estimulante. Com ele a possibilidade mais próxima era a de ligar-se ao que já acontecera. Mesmo assim, sob o seu olhar "me poupe, me poupe", ela abria a mão de quando em quando e deixava um passarinho subitamente voar. Às vezes, no entanto, talvez pela qualidade do que dizia, nenhuma ponte se criava entre eles e, pelo contrário, nascia um intervalo. "Otávio – dizia-lhe ela de repente – você já pensou que um ponto, um único ponto sem dimensões, é o máximo de solidão? Um ponto não pode contar nem consigo mesmo, foi-não-foi está fora de si." Como se ela tivesse jogado uma brasa ao marido, a frase pulava de um lado para outro, escapulia-lhe das mãos até que ele se livrasse dela com outra frase, fria como cinza, cinza para cobrir o intervalo: está chovendo, estou com fome, o dia está belo. Talvez porque ela não soubesse brincar. Mas ela o amava, àquele seu jeito de apanhar gravetos.

Aspirou o ar morno e claro da tarde, e o que nela pedia água restava tenso e rígido como quem espera de olhos vedados pelo tiro.

A noite veio e ela continuou a respirar no mesmo ritmo estéril. Mas quando a madrugada clareou o quarto docemente, as coisas saíram frescas das sombras, ela sentiu a nova manhã insinuando-se entre os lençóis e abriu os olhos. Sentou-se sobre a cama. Dentro de si era como se não houvesse a morte, como se o amor pudesse fundi-la, como se a eternidade fosse a renovação.

... A TIA...

 viagem era longa e das moitas longín-
quas vinha um cheiro frio de mato mo-
lhado.

Era muito cedo de manhã e Joana mal tivera tempo de
lavar o rosto. A empregada ao seu lado distraía-se soletran-
do os anúncios do bonde. Joana encostara a têmpora direita
no banco e deixava-se atordoar pelo doce ruído das rodas,
transmitido sonolentamente pela madeira. O chão corria
sob seus olhos baixos, célere, cinzento, raiado de listas ve-
lozes e fugazes. Se abrisse os olhos enxergaria cada pedra,
acabaria com o mistério. Mas entrefechava-os e parecia-lhe
que o bonde corria mais e que se tornava mais forte o vento
salgado e fresco do nascer do dia.

Tomara o café com um bolo esquisito, escuro – gosto de
vinho e de barata – que lhe tinham feito comer com tanta
ternura e piedade que ela se envergonhara de recusar. Ago-
ra pesava-lhe no estômago e dava-lhe uma tristeza de cor-

po que se juntava àquela outra tristeza – uma coisa imóvel atrás da cortina – com que dormira e acordara.

– Essa areia afundando mata um cristão, resmungou a empregada.

Atravessou a extensão de areia que levava à casa da tia, prenunciando a praia. Debaixo dos grãos nasciam ervas magras e escuras que se retorciam asperamente à superfície da brancura fofa. A ventania vinha do mar invisível, trazia sal, areia, o barulho cansado das águas, embaraçava as saias entre as pernas, lambendo furiosamente a pele da menina e da mulher.

– Que ódio, disse entre dentes a criada.

Uma rajada mais forte levantou-lhe a saia até o rosto, deixou nuas suas coxas escuras e musculosas. Os coqueiros se retorciam desesperados e a claridade a um tempo velada e violenta se refletia no areal e no céu, sem que o sol se tivesse mostrado ainda. Meu Deus, o que acontecera com as coisas? Tudo gritava: não! não!

A casa da tia era um refúgio onde o vento e a luz não entravam. A mulher sentou-se com um suspiro na sombria sala de espera, onde, entre os móveis pesados e escuros, brilhavam levemente os sorrisos dos homens emoldurados. Joana continuou de pé, mal respirando aquele cheiro morno que após a maresia forte vinha doce e parado. Mofo e chá com açúcar.

A porta para o interior da casa abriu-se finalmente e sua tia com um robe de flores grandes precipitou-se sobre ela. Antes que pudesse fazer qualquer movimento de defesa, Joana foi sepultada entre aquelas duas massas de carne macia e quente que tremiam com os soluços. De lá de dentro, da escuridão, como se ouvisse através de um travesseiro, escutou as lágrimas:

– Pobre da orfãzinha!

Sentiu o rosto violentamente afastado do peito da tia por suas mãos gordas e por ela foi observada durante um segundo. A tia passava de um movimento para outro sem transição, em quedas rápidas e bruscas. Nova onda de choro rebentou no seu corpo e Joana recebeu beijos angustiados pelos olhos, pela boca, pelo pescoço. A língua e a boca da tia eram moles e mornas como as de um cachorro. Joana fechou os olhos um instante, engoliu o enjoo e o bolo escuro que lhe subiam do estômago com arrepios por todo o corpo. A tia tirou um lenço grande e amarrotado, assoou o nariz. A empregada continuava sentada, observando os quadros, as pernas largadas, a boca aberta. Os seios da tia eram profundos, podia-se meter a mão como dentro de um saco e de lá retirar uma surpresa, um bicho, uma caixa, quem sabe o quê. Aos soluços eles cresciam, cresciam e de dentro da casa veio um cheiro de feijão misturado com alho. Em alguma parte, certamente, alguém beberia grandes goles de azeite. Os seios da tia podiam sepultar uma pessoa!

– Me deixe! – gritou Joana agudamente, batendo o pé no chão, os olhos dilatados, o corpo tremendo.

A tia apoiou-se no piano, tonta. A criada disse:

– Deixe mesmo, ela está mas é cansada.

Joana ofegava, o rosto branco. Passou os olhos escurecidos pela salinha, perseguida. As paredes eram grossas, ela estava presa, presa! Um homem no quadro olhava-a de dentro dos bigodes e os seios da tia podiam derramar-se sobre ela, em gordura dissolvida. Empurrou a porta pesada e fugiu.

Uma onda de vento e de areia entrou no hall, levantou as cortinas, trouxe leve ar fresco. Pela porta aberta, o lenço na boca tapando o soluço e a surpresa – oh o terrível desapontamento – a tia viu por alguns momentos as pernas magras e descobertas da sobrinha correrem, correrem entre o céu e a terra, até desaparecerem rumo à praia.

Joana enxugou com as costas das mãos o rosto umedecido de beijos e lágrimas. Respirou mais profundamente, sentiu ainda o gosto insosso daquela saliva morna, o perfume doce que vinha dos seios da tia. Sem se conter mais, a cólera e a repugnância subiram-lhe em vagas violentas e inclinada para a cavidade entre as rochas vomitou, os olhos fechados, o corpo doloroso e vingativo.

O vento lambia-a rudemente agora. Pálida e frágil, a respiração leve, sentia-o salgado, alegre, correr pelo seu corpo, por dentro de seu corpo, revigorando-o. Entreabriu os olhos. Lá embaixo o mar brilhava em ondas de estanho, deitava-se profundo, grosso, sereno. Vinha denso e revoltado, enroscando-se ao redor de si mesmo. Depois, sobre a areia silenciosa, estirava-se... estirava-se como um corpo vivo. Além das pequenas ondas tinha o mar – o mar. O mar – disse baixo, a voz rouca.

Desceu das rochas, caminhou fracamente pela praia solitária até receber a água nos pés. De cócoras, as pernas trêmulas, bebeu um pouco de mar. Assim ficou descansando. Às vezes entrefechava os olhos, bem ao nível do mar e vacilava, tão aguda era a visão – apenas a linha verde comprida, unindo seus olhos à água infinitamente. O sol rompeu as nuvens e os pequenos brilhos que cintilaram sobre as águas eram foguinhos acendendo e apagando. O mar, além das ondas, olhava de longe, calado, sem chorar, sem seios. Grande, grande. Grande, sorriu ela. E, de repente, assim, sem esperar, sentiu uma coisa forte dentro de si mesma, uma coisa engraçada que fazia com que ela tremesse um pouco. Mas não era frio, nem estava triste, era uma coisa grande que vinha do mar, que vinha do gosto de sal na boca, e dela, dela própria. Não era tristeza, uma alegria quase horrível... Cada vez que reparava no mar e no brilho quieto do mar, sentia aquele aperto e depois afrouxamento no corpo, na cintura, no peito. Não sabia mesmo se havia de rir porque nada era propriamente engraçado. Pelo contrário, oh pelo contrário, atrás daquilo estava o que acontecera ontem. Cobriu o rosto com as mãos esperando quase envergonhada, sentindo o calor de seu riso e de sua expiração ser novamente sorvido. A água corria pelos seus pés agora descalços, rosnando entre seus dedos, escapulindo clarinha clarinha como um bichinho transparente. Transparente e vivo... Tinha vontade de bebê-lo, de mordê-lo devagar. Pegou-o com as mãos em concha. O pequeno lago quieto faiscava serenamente ao sol, amornava, escorregava, fugia. A areia chupava-o depressa-depressa, e continuava como se nunca tivesse conhecido a aguinha. Nela molhou o rosto, passou a língua pela palma vazia e salgada. O sal e o sol eram pequenas setas brilhantes que nasciam aqui e ali, picando-a, estirando a pele de seu rosto molhado. Sua felicidade aumentou, reuniu-se na garganta como um saco de ar. Mas agora era uma alegria séria, sem vontade de rir. Era uma alegria quase de chorar, meu Deus. Devagar veio vindo o pensamento. Sem medo, não cinzento e choroso como viera até agora, mas nu e calado embaixo do sol como a areia branca. Papai morreu. Papai morreu. Respirou vagarosamente. Papai morreu. Agora sabia mesmo que o pai morrera. Agora, junto do mar onde o brilho era uma chuva de peixes de água. O pai morrera como o mar era fundo! compreendeu de repente. O pai morrera como não se vê o fundo do mar, sentiu.

Não estava abatida de chorar. Compreendia que o pai acabara. Só isso. E sua tristeza era um cansaço grande, pesado, sem raiva. Caminhou com ele pela praia imensa. Olhava os pés escuros e finos como galhos juntos da alvura quieta onde eles afundavam e de onde se erguiam ritmadamente, numa respiração. Andou, andou e não havia o que fazer: o pai morrera.

Deitou-se de bruços sobre a areia, as mãos resguardando o rosto, deixando apenas uma pequena fresta para o ar. Foi-se fazendo escuro escuro e aos poucos círculos e manchas vermelhas, bolas cheias e trêmulas surgiram, aumentando e diminuindo. Os grãos de areia picavam sua pele, nela se enterravam. Mesmo de olhos fechados sentiu que na praia as ondas eram sugadas pelo mar rapidamente rapidamente, também de pálpebras cerradas. Depois voltavam de manso, as palmas das mãos abertas, o corpo solto. Era bom ouvir o seu barulho. Eu sou uma pessoa. E muitas coisas iam se seguir. O quê? O que acontecesse contaria a si própria. Mesmo ninguém entenderia: ela pensava uma coisa e depois não sabia contar igual igual. Sobretudo nisso de pensar tudo era impossível. Por exemplo, às vezes tinha uma ideia e surpreendida refletia: por que não pensei isto antes? Não era a mesma coisa que ver subitamente um cortezinho na mesa e dizer: ora, eu não tinha visto! Não era... Uma coisa que se pensava não existia antes de se pensar. Por exemplo, assim: a marca dos dedos de Gustavo. Isso não vivia antes de se dizer: a marca dos dedos de Gustavo... O que se pensava passava a ser pensado. Mais ainda: nem todas as coisas que se pensam passam a existir daí em diante... Porque se eu digo: titia almoça com titio, eu não faço nada viver. Ou mesmo se eu resolvo: vou passear; é bom, passeio... e nada existe. Mas se eu digo, por exemplo: flores em cima do túmulo, pronto! eis uma coisa que não existia antes de eu pensar flores em cima do túmulo. A música também. Por que não tocava sozinha todas as músicas que existiam? – Ela olhava o piano aberto – as músicas lá estavam contidas... Seus olhos se alargavam, escurecidos, misteriosos. "Tudo, tudo." Foi então que começou a mentir. – Ela era uma pessoa que já começara, pois. Tudo isso era impossível de explicar, como aquela palavra "nunca", nem masculina nem feminina. Mas mesmo assim ela não sabia quando dizer "sim"? Sabia. Oh, ela sabia cada vez mais. Por exemplo, o mar. O mar era muito. Tinha vontade de afundar na areia pensando nele, ou senão de abrir bem os olhos, ficar olhando, mas depois não achava para que olhar. Na casa da tia certamente lhe dariam doces nos primeiros dias. Tomaria banho na banheira azul e branca, uma vez que ia morar na casa. E todas as noites, quando ficasse escuro, ela vestiria a camisola, iria dormir. De manhã, café com leite e biscoitos. A tia sempre fazia biscoitos grandes. Mas sem sal. Como uma pessoa de preto olhando pelo bonde. Ela molharia o biscoito no mar antes de comer. Daria uma mordida e voaria até a casa para beber um gole de café. E assim por diante. Depois brincaria no quintal, onde havia paus e garrafas. Mas sobretudo aquele galinheiro velho sem galinhas. O cheiro era de cal e de porcarias e de coisa secando. Mas podia-se ficar lá dentro sentada, bem junto do chão, vendo a terra. A terra formada de tantos pedaços que doía a cabeça de uma pessoa pensar em quantos. O galinheiro tinha grades e tudo, seria a casa dela. E havia ainda a fazenda do tio, que ela apenas conhecia, mas onde passaria d'agora em diante as férias. Quantas coisas estava ganhando, hein? Afundou o rosto nas mãos. Oh, que medo, que medo. Mas não era só medo. Era assim como quem acaba uma coisa e diz: acabei, professora. E a professora diz: espere sentada pelos outros. E a gente fica quieta esperando, como dentro de uma igreja. Uma igreja alta e sem dizer nada. Os santos finos e delicados. Quando a gente toca são frios. Frios e divinos. E nada diz nada. Oh, o medo, o medo. Porém não era só medo. Não tenho nada o que fazer também, não sei o que fazer também. Como olhar uma coisa bonita, um pintinho fofo, o mar, um aperto na garganta. Mas não era só isso. Olhos abertos piscando, misturados com as coisas atrás da cortina.

ALEGRIAS DE JOANA

liberdade que às vezes sentia. Não vinha de reflexões nítidas, mas de um estado como feito de percepções por demais orgânicas para serem formuladas em pensamentos. Às vezes, no fundo da sensação tremulava uma ideia que lhe dava leve consciência de sua espécie e de sua cor.

O estado para onde deslizava quando murmurava: eternidade. O próprio pensamento adquiria uma qualidade de eternidade. Aprofundava-se magicamente e alargava-se, sem propriamente um conteúdo e uma forma, mas sem dimensões também. A impressão de que se conseguisse manter-se na sensação por mais uns instantes teria uma revelação – facilmente, como enxergar o resto do mundo apenas inclinando-se da terra para o espaço. Eternidade não era só o tempo, mas algo como a certeza enraizadamente profunda de não poder contê-lo no corpo por causa da morte; a impossibilidade de ultrapassar a eternidade era eternidade; e também era eterno um sentimento em pureza absoluta, quase abstrato. Sobretudo dava ideia de eternidade a impossibilidade de saber quantos seres humanos se sucederiam após seu corpo, que um dia estaria distante do presente com a velocidade de um bólido.

Definia eternidade e as explicações nasciam fatais como as pancadas do coração. Delas não mudaria um termo sequer, de tal modo eram sua verdade. Porém mal brotavam, tornavam-se vazias logicamente. Definir a eternidade como uma quantidade maior que o tempo e maior mesmo do que o tempo que a mente humana pode suportar em ideia também não permitiria, ainda assim, alcançar sua duração. Sua qualidade era exatamente não ter quantidade, não ser mensurável e divisível porque tudo o que se podia medir e dividir tinha um princípio e um fim. Eternidade não era a quantidade infinitamente grande que se desgastava, mas eternidade era a sucessão.

Então Joana compreendia subitamente que na sucessão encontrava-se o máximo de beleza, que o movimento explicava a forma – era tão alto e puro gritar: o movimento explica a forma! – e na sucessão também se encontrava a dor porque o corpo era mais lento que o movimento de continuidade ininterrupta. A imaginação apreendia e possuía o futuro do presente, enquanto o corpo restava no começo do caminho, vivendo em outro ritmo, cego à experiência do espírito... Através dessas percepções – por meio delas Joana fazia existir alguma coisa – ela se comunicava a uma alegria suficiente em si mesma.

Havia muitas sensações boas. Subir o monte, parar no cimo e, sem olhar, sentir atrás a extensão conquistada, lá longe a fazenda. O vento fazendo esvoaçar as roupas, os cabelos. Os braços livres, o coração fechando e abrindo selvagemente, mas o rosto claro e sereno sob o sol. E sabendo principalmente que a terra embaixo dos pés era tão profunda e tão secreta que não havia a temer a invasão do entendimento dissolvendo seu mistério. Tinha uma qualidade de glória esta sensação.

Certos momentos da música. A música era da categoria do pensamento, ambos vibravam no mesmo movimento e espécie. Da mesma qualidade do pensamento tão íntimo que ao ouvi-la, este se revelava. Do pensamento tão íntimo que, ouvindo alguém repetir as ligeiras nuances dos sons, Joana se surpreendia como se fora invadida e espalhada. Deixava até de sentir a harmonia quando esta se popularizava – então não era mais sua. Ou mesmo quando a escutava várias vezes, o que destruía a semelhança: porque seu pensamento jamais se repetia, enquanto a música podia se renovar igual a si própria – o pensamento só era igual a música criando-se. Joana não se identificava profundamente com todos os sons. Só com aqueles puros, onde o que amava não era trágico nem cômico.

Havia muita coisa a ver também. Certos instantes de ver valiam como "flores sobre o túmulo": o que se via passava a existir. No entanto Joana não esperava a visão num milagre, nem anunciada pelo anjo Gabriel. Surpreendia-a mesmo no que já enxergara, mas subitamente vendo pela primeira vez, subitamente compreendendo que aquilo vivia sempre. Assim, um cão latindo, recortado contra o céu. Isso era isolado, não precisava de mais nada para se explicar... Uma porta aberta a balançar para lá, para cá, rangendo no silêncio de uma tarde... E de repente, sim, ali estava a coisa verdadeira. Um retrato antigo de alguém que não se conhece e nunca se reconhecerá porque o retrato é antigo ou porque o retratado tornou-se pó – esta sem intenção modesta provocava nela um momento quieto e bom. Também um mastro sem bandeira, erecto e mudo, fincado num dia de verão – rosto e corpo cegos. Para se ter uma visão, a coisa não precisava ser triste ou alegre ou se manifestar. Bastava existir, de preferência parada e silenciosa, para nela se sentir a marca. Por Deus, a marca da existência... Mas isso não deveria ser buscado uma vez que tudo o que existia forçosamente existia... É que a visão consistia em surpreender o símbolo das coisas nas próprias coisas.

As descobertas vinham confusas. Mas daí também nascia certa graça. Como esclarecer a si própria, por exemplo, que linhas agudas e compridas tinham claramente a marca? Eram finas e magras. Em dado momento paravam tão linhas, tão no mesmo estado como no começo. Interrompidas, sempre interrompidas não porque terminassem, mas porque ninguém podia levá-las a um fim. Os círculos eram mais perfeitos, menos trágicos, e não a tocavam bastante. Círculo era trabalho de homem, acabado antes da morte, e nem Deus completá-lo-ia melhor. Enquanto linhas retas, finas, soltas – eram como pensamentos.

Outras confusões ainda. Assim lembrava-se de Joana-menina diante do mar: a paz que vinha dos olhos do boi, a paz que vinha do corpo deitado do mar, do ventre profundo do mar, do gato endurecido sobre a calçada. Tudo é um, tudo é um..., entoara. A confusão estava no entrelaçamento do mar, do gato, do boi com ela mesma. A confusão vinha também de que não sabia se entoara "tudo é um" ainda em pequena, diante do mar, ou depois, relembrando. No entanto a confusão não trazia apenas graça, mas a realidade mesma. Parecia-lhe que se ordenasse e explicasse claramente o que sentira, teria destruído a essência de "tudo é um". Na confusão, ela era a própria verdade inconscientemente, o que talvez desse mais poder-de-vida do que conhecê-la.

A essa verdade que, mesmo revelada, Joana não poderia usar porque não formava o seu caule, mas a raiz, prendendo seu corpo a tudo o que não era mais seu, imponderável, impalpável.

Oh, havia muitos motivos de alegria, alegria sem riso, séria, profunda, fresca. Quando descobria coisas a respeito de si mesma exatamente no momento em que falava, o pensamento correndo paralelo à palavra. Um dia contara a Otávio histórias de Joana-menina do tempo da criada que sabia brincar como ninguém. Brincava de sonhar.

– Está dormindo?

– Muito.

– Então acorde, é de madrugada... Sonhou?

A princípio sonhava com carneiros, com ir à escola, com gatos tomando leite. Aos poucos sonhava com carneiros azuis, com ir a uma escola no meio do mato, com gatos bebendo leite vermelho em pires de ouro. E cada vez mais se adensavam os sonhos e adquiriam cores difíceis de se diluir em palavras.

– Sonhei que as bolas brancas vinham subindo de dentro...

– Que bolas? De dentro de onde?

– Não sei, só que elas vinham...

Depois de ouvi-la, Otávio lhe dissera:

– Agora penso que talvez tivessem abandonado você muito cedo... a casa da tia... os estranhos... depois o internato...

Joana pensara: mas havia o professor. Respondera:

– Não... O que mais poderiam fazer comigo? Ter tido uma infância não é o máximo? Ninguém conseguiria tirá-la de mim... – e nesse instante já começara a ouvir-se, curiosa.

– Eu não voltaria um momento à minha meninice, continuara Otávio absorto, certamente pensando no tempo de sua prima Isabel e da doce Lídia. Nem um instante sequer.

– Mas eu também, apressara-se Joana em responder, nem um segundo. Não tenho saudade, compreende? – E nesse momento declarou alto, devagar, deslumbrada. – Não é saudade, porque eu tenho agora a minha infância mais do que enquanto ela decorria...

Sim, havia muitas coisas alegres misturadas ao sangue.

E Joana também podia pensar e sentir em vários caminhos diversos, simultaneamente. Assim, enquanto Otávio falara, apesar de ouvi-lo, observara pela janela uma velhinha ao sol, encardida, leve e rápida – um galho trêmulo à brisa. Um galho seco onde havia tanta feminilidade, pensara Joana, que a pobre poderia ter um filho se a vida não tivesse secado no seu corpo. Depois, mesmo enquanto Joana respondia a Otávio, lembrava-se do verso que o pai fizera especialmente para ela brincar, num dos que-é-que-eu-faço:

Margarida a Violeta conhecia,
uma era cega, uma bem louca vivia,
a cega sabia o que a doida dizia
e terminou vendo o que ninguém mais via...

como uma roda rodando, rodando, agitando o ar e criando brisa.

Mesmo sofrer era bom porque enquanto o mais baixo sofrimento se desenrolava também se existia – como um rio à parte.

E também se podia esperar o instante que vinha... que vinha... e de súbito se precipitava em presente e de repente se dissolvia... e outro que vinha... que vinha...

... O BANHO...

No momento em que a tia foi pagar a compra, Joana tirou o livro e meteu-o cuidadosamente entre os outros, embaixo do braço. A tia empalideceu.

Na rua a mulher buscou as palavras com cuidado:

– Joana... Joana, eu vi...

Joana lançou-lhe um olhar rápido. Continuou silenciosa.

– Mas você não diz nada? – não se conteve a tia, a voz chorosa. – Meu Deus, mas o que vai ser de você?

– Não se assuste, tia.

– Mas uma menina ainda... Você sabe o que fez?

– Sei...

– Sabe... sabe a palavra...?

– Eu roubei o livro, não é isso?

– Mas, Deus me valha! Eu já nem sei o que faça, pois ela ainda confessa!

– A senhora me obrigou a confessar.

– Você acha que se pode... que se pode roubar?

– Bem... talvez não.

– Por que então...?

– Eu posso.

– Você?! – gritou a tia.

– Sim, roubei porque quis. Só roubarei quando quiser. Não faz mal nenhum.

– Deus me ajude, quando faz mal, Joana?

– Quando a gente rouba e tem medo. Eu não estou contente nem triste.

A mulher olhou-a desamparada:

– Minha filha, você é quase uma mocinha, pouco falta para ser gente... Daqui a dias terá que abaixar o vestido... Eu lhe imploro: prometa que não faz mais isso, prometa, prometa em nome do pai.

Joana olhou-a com curiosidade:

– Mas se eu estou dizendo que posso tudo, que... – Eram inúteis as explicações. – Sim, prometo. Em nome de meu pai.

Mais tarde, passando pelo quarto da tia, Joana ouviu-a, a voz baixa e entrecortada de respirações. Joana colou o ouvido à porta, naquele lugar onde até já se via a marca de sua cabeça.

– Como um pequeno demônio... Eu, com minha idade e minha experiência, depois de ter criado uma filha já casada, fico fria ao lado de Joana... Eu nunca tive esse trabalho com nossa Armanda, que Deus a conserve para o seu marido. Não posso cuidar mais da menina, Alberto, juro... Eu posso tudo, me disse ela depois de roubar... Imagine... fiquei branca. Contei a padre Felício, pedi conselho... Ele tremeu comigo... Ah, impossível continuar! Mesmo aqui em casa, ela é sempre calada, como se não precisasse de ninguém... E quando olha é bem nos olhos, pisando a gente.

– Sim, disse o tio devagar, o regime severo de um internato poderia amansá-la. Padre Felício tem razão. Acho que se meu irmão fosse vivo não hesitaria em matricular Joana num internato, depois de vê-la roubar... Logo esse pecado, um dos que mais ofendem a Deus... No fundo é isso o que me dói um pouco: o pai, negligente como era, não se incomodaria de mandar Joana até mesmo para um reformatório... Tenho pena de Joana, coitada. Você sabe, nós nunca teríamos internado Armanda, mesmo que ela roubasse a livraria inteira.

– É diferente! É diferente! – explodiu a tia vitoriosa. Armanda, até roubando, é gente! E essa menina... Não se tem de quem ter pena nesse caso, Alberto! Eu é que sou a vítima... Mesmo quando Joana não está em casa, fico agitada. Parece loucura, mas é como se ela estivesse me vigiando... sabendo o que eu penso. Às vezes estou rindo e paro no meio, gelada. Daqui a pouco, na minha própria casa, no meu lar, onde criei minha filha, terei que pedir desculpas não-sei-de-quê a essa guria... É uma víbora. É uma víbora fria, Alberto, nela não há amor nem gratidão. Inútil gostar dela, inútil fazer-lhe bem. Eu sinto que essa menina é capaz de matar uma pessoa...

– Não diga isso! – exclamou o tio assustado. Se o pai de Joana tivesse sido outro, se levantaria agora do túmulo!

– Me perdoe, fico tonta, é ela ainda quem me faz dizer essas heresias... É um bicho estranho, Alberto, sem amigos e sem Deus – que me perdoe!

As mãos de Joana se mexeram independentes da sua vontade. Observou-as vagamente curiosa e esqueceu-as logo depois. O teto era branco, o teto era branco. Até seus ombros, que ela sempre considerara tão distantes de si mesma, palpitavam vivos, trêmulos. Quem era ela? A víbora. Sim, sim, para onde fugir? Não se sentia fraca, mas pelo contrário possuída de um ardor pouco comum, misturado a certa alegria, sombria e violenta. Estou sofrendo, pensou de repente e surpreendeu-se. Estou sofrendo, dizia-lhe uma consciência à parte. E subitamente esse outro ser agigantou-se e tomou o lugar do que sofria. Nada acontecia se ela continuava a esperar o que ia acontecer... Podia-se parar os acontecimentos e bater vazia como os segundos do relógio. Permaneceu oca por uns instantes, vigiando-se atenta, perscrutando a volta da dor. Não não a queria! E como para deter-se, cheia de fogo, esbofeteou o próprio rosto.

Fugiu mais uma vez para o professor, que não sabia ainda que ela era uma víbora...

O professor admitia-a de novo, milagrosamente. E milagrosamente ele penetrava no mundo penumbroso de Joana e lá se movia de leve, delicadamente.

– Não é valer mais para os outros, em relação ao humano ideal. É valer mais dentro de si mesmo. Compreende, Joana?

– Sim, sim...

Ele falava a tarde toda:

– Afinal nessa busca de prazer está resumida a vida animal. A vida humana é mais complexa: resume-se na busca do prazer, no seu temor, e sobretudo na insatisfação dos intervalos. É um pouco simplista o que estou falando, mas não importa por enquanto. Compreende? Toda ânsia é busca de prazer. Todo remorso, piedade, bondade, é o seu temor. Todo o desespero e as buscas de outros caminhos são a insatisfação. Eis aí um resumo, se você quer. Compreende?

– Sim.

– Quem se recusa o prazer, quem se faz de monge, em qualquer sentido, é porque tem uma capacidade enorme para o prazer, uma capacidade perigosa – daí um temor maior ainda. Só quem guarda as armas a chave é quem receia atirar sobre todos.

– Sim...

– Eu disse: quem se recusa... Porque há os... os planos, os feitos de terra que sem adubo nunca florescerá.

– Eu?

– Você? Não, por Deus... Você é dos que matariam para florescer.

Ela continuava a ouvi-lo e era como se os seus tios jamais tivessem existido, como se o professor e ela mesma estivessem isolados dentro da tarde, dentro da compreensão.

– Não, realmente não sei que conselhos eu lhe daria, dizia o professor. Diga antes de tudo: o que é bom e o que é mau?

– Não sei...

– "Não sei" não é resposta. Aprenda a encontrar tudo o que existe dentro de você.

– Bom é viver..., balbuciou ela. Mau é...

– É?...

– Mau é não viver...

– Morrer? – indagou ele.

– Não, não... – gemeu ela.

– O quê, então? Diga.

– Mau é não viver, só isso. Morrer já é outra coisa. Morrer é diferente do bom e do mau.

– Sim, disse ele sem entender. Bem. Agora diga, por exemplo: qual é o maior homem da atualidade, para você?

Ela pensava, pensava e não respondia.

– Qual é a coisa de que você mais gosta? – tornou ele.

O rosto de Joana se abriu, ela preparou-se para falar e de repente descobriu que não sabia o que dizer.

– Não sei, não sei, desesperou-se.

– Mas como? Por que então você estava quase rindo de prazer? – surpreendeu-se o professor.

– Não sei...

Ele olhou-a severo:

– Que você não saiba qual o maior homem da atualidade apesar de conhecer muitos deles, está bem. Mas que você não saiba o que você mesma sente, é que me desagrada.

Olhou-o aflita:

– Olhe, a coisa de que eu mais gosto no mundo... eu sinto aqui dentro, assim se abrindo... Quase, quase posso dizer o que é mas não posso...

– Tente explicar, disse ele de sobrancelhas franzidas.

– É como uma coisa que vai ser... É como...

– É como?... – inclinou-se ele, exigindo sério.

– É como uma vontade de respirar muito, mas também o medo... Não sei... Não sei, quase dói. É tudo... É tudo.

– Tudo?... – estranhou o professor.

Ela assentiu com a cabeça, emocionada, misteriosa, intensa: tudo... Ele continuou a olhá-la um instante, o seu rostinho angustiado e poderoso:

– Bem.

Ele parecia satisfeito mas ela não entendia por que, uma vez que nada chegara a dizer a respeito "daquilo". Porém se ele dizia "está bem", pensou ela ardentemente com a alma entregue, se ele dizia "está bem", era verdade.

– Qual a pessoa que você mais admira? além de mim, além de mim, acrescentou o professor. Se você não me ajudar, não chegarei a conhecê-la, não poderei guiá-la.

– Não sei, disse Joana, torcendo as mãos embaixo da mesa.

– Por que você não citou um desses grandes homens que rolam por aí? Você conhece pelo menos uma dezena deles. Você é excessivamente sincera, excessivamente, disse ele com desagrado.

– Não sei...

– Bem, não importa, serenou ele. Nunca sofra por não ter opiniões em relação a vários assuntos. Nunca sofra por não ser uma coisa ou por sê-la. De qualquer jeito suponho que você só aceitaria esse conselho. E acostume-se: o que você sentiu – sobre o que mais gosta no mundo – talvez tenha sido apenas à custa de não ter opinião precisa sobre os grandes homens. Você terá que dar muita coisa para ter outras. – Pausa. – Aborrece-se com isso?

Joana pensou um instante, a cabeça escura inclinada, os olhos abertos e largos.

– Mas tendo a coisa mais alta, disse ela devagar, a gente por assim dizer já não tem as que estão abaixo?

O professor balançou a cabeça.

– Não, disse ele, não. Nem sempre. Às vezes possui-se o mais alto e no fim da vida tem-se a impressão... – olhou-a de lado – tem-se a impressão de que se está morrendo virgem. É que as coisas não são talvez mais altas e mais baixas. De qualidade diferente, entende?

Sim, que estava compreendendo as palavras, tudo o que elas continham. Mas apesar de tudo a sensação de que elas possuíam uma porta falsa, disfarçada, por onde se ia encontrar seu verdadeiro sentido.

– Que elas são mais do que o senhor disse – terminou Joana a explicação.

Num súbito movimento, antes de se interpretar, o professor estendeu-lhe a mão por cima da mesa. Joana estremeceu de prazer, deu-lhe a sua, enrubescida.

– O que foi? – disse ela baixinho. E amava aquele homem como se ela mesma fosse uma erva frágil e o vento a dobrasse, a fustigasse.

Ele não respondeu, mas seus olhos eram fortes e tinham pena. O quê? – subitamente ela se assustou:

– O que vai acontecer comigo?

– Não sei – respondeu ele depois de um curto silêncio – talvez você seja feliz alguma vez, não compreendo, de uma felicidade que poucas pessoas invejarão. Nem sei se se poderia chamar de felicidade. Talvez você não encontre mais ninguém que sinta com você, como...

A esposa do professor entrou no aposento, alta, quase bonita com aquele cabelo cobreado, curto e liso. E sobretudo as coxas altas e serenas movendo-se cegamente, mas cheias de uma segurança que assustava. O que iria o professor dizer, pensou Joana, antes que "ela" entrasse? "Mais ninguém que sinta com você, como... como eu?" Ah aquela mulher. Olhou-a fugitivamente, abaixou os olhos cheia de raiva. Lá estava o professor de novo distante, a mão recolhida, os lábios puxados para baixo, indiferente como se Joana não fosse senão sua "amiguinha", como dizia a mulher.

Esta se aproximara, pousara a mão branca e longa, como de cera, mas estranhamente atraente, sobre o ombro do marido. E Joana viu, cheia de uma dor que lhe dificultava engolir a saliva, o belo contraste entre os dois seres. Os cabelos dele ainda negros, seu corpo enorme como o de um animal maior que o homem.

– Quer o jantar agora? – perguntou a esposa.

Ele brincava com o lápis entre os dedos:

– Sim, vou sair mais cedo.

A mulher sorriu para Joana e retirou-se lentamente.

Ainda insegura, ela pensou que de novo a passagem daquela criatura deixava claro que o professor era um homem e que Joana nem sequer já era "moça". Também ele notaria, meu Deus, pelo menos também ele notaria quanto aquela mulher branca era odiosa, quanto ela sabia destruir qualquer conversa anterior?

– O senhor vai dar aula hoje à noite? – perguntou hesitante apenas para continuarem a falar. E ficou vermelha quando pronunciou as palavras, tão brancas, ditas tão sem direito... Não no tom com que a mulher dissera, bela e tranquila: vai jantar mais cedo?

– Sim, vou dar – respondeu ele e remexia os papéis sobre a mesa.

Joana se levantou para ir embora e de repente, antes mesmo que pudesse perceber seu próprio gesto, sentou-se de novo. Debruçou-se sobre a mesa e começou a chorar escondendo os olhos. Ao redor era o silêncio e ela podia ouvir os passos abafados e vagarosos de alguém no interior da casa. Passou-se um longo minuto até sentir sobre a cabeça um peso leve, macio, a mão. A mão dele. Ouviu o som oco do coração, deixou de respirar. Concentrou-se inteira sobre os próprios cabelos que viviam agora acima de tudo, enormes, nervosos, grossos sob aqueles dedos estranhos e animados. Outra mão levantou-lhe o queixo e ela deixou-se examinar submissa e trêmula.

– Que foi? – perguntou ele sorrindo. – Nossa conversa?

Ela não podia falar, balançou a cabeça negando.

– O quê, então? – insistiu ele com voz firme.

– É que sou feia – respondeu obediente, a voz presa na garganta.

Ele se assustou. Abriu mais os olhos, penetrou-a com surpresa.

– Ora – procurou ele rir depois de um instante –, afinal eu quase tinha esquecido de que falava com uma menininha... Quem disse que você é feia? – riu de novo. – Levante-se.

Ela ergueu-se, o coração comprimido, tendo consciência de que seus joelhos como sempre estavam acinzentados e opacos.

– Um pouco sem forma ainda, convenho, mas tudo isso vai melhorar, não se perturbe, disse ele.

Ela fitou-o de dentro das últimas lágrimas. Como explicar-lhe? Não queria consolo, ele não entendera... O professor franziu a testa àquele olhar. O quê? o quê? – perguntou a si mesmo com desagrado.

Ela conteve a respiração:

– Eu posso esperar.

Também o professor não respirou por uns segundos. Perguntou, a voz igual, subitamente fria:

– Esperar o quê?

– Até que eu fique bonita. Bonita como "ela".

A culpa era dele mesmo, foi o seu primeiro pensamento, como uma bofetada em seu próprio rosto. A culpa era dele por ter-se inclinado demais para Joana, por ter procurado, sim, procurado – não fuja, não fuja, –, pensando que seria impunemente, sua promessa de juventude, aquele talo frágil e ardente. E antes que pudesse conter seu pensamento – as mãos crispadas sob a mesa – ele veio impiedoso: o egoísmo e a fome grosseira da velhice que se aproximava. Oh, como se odiava por ter pensado nisso. "Ela", a esposa, era mais bonita? A "outra" também o era. E a "outra", de hoje à noite, também. Mas quem tinha aquela imprecisão no corpo, as pernas nervosas, seios ainda por nascer – o milagre: ainda por nascer, pensou tonto, a vista escura –, quem era como água clara e fresca? A fome da velhice que se aproximava. Encolheu-se aterrorizado, furioso, covarde.

De novo a esposa entrou. Mudara de roupa para a noite, seu corpo forte e limitado agora atrás de uma fazenda azul. O marido olhou-a demoradamente, a expressão indefinida, um pouco estúpida. Ela suportou-lhe o olhar séria, enigmática, um meio sorriso atrás do rosto. Joana diminuiu, ficou pequena e escura diante daquela pele brilhante. Sentiu a vergonha da cena anterior tomá-la e reduzi-la ridiculamente.

– Já vou – disse.

A mulher – ou era engano? – a mulher olhou-a bem nos olhos, entendendo, entendendo! E em seguida levantou a cabeça, os olhos claros e calmos na vitória, talvez com um pouco de simpatia:

– Quando volta, Joana? Precisa discutir mais frequentemente com o professor...

Com o professor, dizia ela brincando com intimidade, e era branca e lisa. Não miserável e sem saber de nada, não abandonada, não com os joelhos sujos como Joana, como Joana! Joana levantou-se e sabia que sua saia era curta, que sua blusa colava-se ao busto minúsculo e hesitante. Fugir, correr para a praia, deitar-se de bruços sobre a areia, esconder o rosto, ouvir o barulho do mar.

Apertou a mão macia da mulher, apertou a dele, grande, maior que a mão de um homem.

– Não quer levar o livro?

Joana voltou-se e viu-o. Viu seu olhar. Ah, brilhou dentro dela a descoberta, um olhar como um aperto de mão, um olhar que sabia que ela desejava a praia. Mas por que tão fraco, tão sem alegria? O que acontecera afinal? Há poucas horas chamavam-na de víbora, o professor fugia, a mulher esperando... O que acontecia? Tudo recuava... E de súbito o ambiente destacou-se na sua consciência com um grito, avultou com todos os detalhes submergindo as pessoas numa grande vaga... Seus próprios pés flutuavam. A sala onde já estivera durante tantas tardes refulgia no crescendo de uma orquestra, mudamente, numa vingança pela sua distração. De um momento para outro Joana descobriu a insuspeita potência daquele aposento quieto.

Era estranho, silencioso, ausente como se nunca tivessem nele pisado, como se fosse uma reminiscência. As coisas haviam-se guardado até agora e então aproximavam-se de Joana, cercavam-na, brilhando na meia escuridão do crepúsculo. Perplexa, viu sobre a cristaleira faiscante a estátua nua, de linhas docemente apagadas como num fim de movimento. O silêncio das cadeiras imóveis e finas comunicou-se ao seu cérebro, esvaziou-o lentamente... Ouviu passos apressados na rua, viu a mulher grande e séria olhando-a e também aquele homem forte, de costas curvadas. Que esperavam dela? – assustou-se. Sentiu a capa dura do livro entre os dedos, longe longe como se um abismo a separasse de suas próprias mãos. O quê então? Por que tinha cada criatura alguma coisa a lhe dizer? Por quê, por quê? E que exigiam, sugando-a sempre? A vertigem, rápida como um rodamoinho, tomou conta de sua cabeça, fez vacilarem suas pernas. Ela estava de pé diante deles há alguns minutos, calada, sentindo a casa, mas por que as pessoas não se surpreendiam inteiramente com sua atitude para elas inexplicável? Ah, tudo era de esperar dela própria, a víbora, mesmo o que parecia estranho, a víbora, oh a dor, a alegria doendo. Os dois se destacavam das sombras, parados à sua frente e apenas no olhar do professor havia um pouco de surpresa.

– Fiquei tonta, disse-lhes à meia-voz e a cristaleira continuou brilhando como um santo.

Mal falara, ainda com a vista escurecida, Joana sentiu um movimento quase imperceptível na esposa do professor. Olharam-se e qualquer coisa maldosa, ávida e humilhada na mulher fez com que Joana estupefacta começasse a compreender... Era a segunda vertigem naquele dia! Sim, era a segunda vertigem naquele dia! Como um clarim... Fitou-os intensamente. Vou embora dessa casa, gritou-se agitada. E cada vez mais a sala se fechava, de um momento para outro despertaria a fúria no homem e na mulher! Como a chuva que rebenta, como a chuva que rebenta...

Na areia seus pés afundavam e emergiam de novo pesados. Já era noite, o mar rolava escuro, nervoso, as ondas mordiam-se na praia. O vento aninhara-se nos seus cabelos, fazia esvoaçar como louca a franja curta. Joana não sentia mais tontura, agora um braço bruto pesava sobre seu peito, um peso bom. Alguma coisa virá em breve, pensou depressa. Era a segunda vertigem num só dia! De manhã, ao saltar da cama, e agora... Estou cada vez mais viva, soube vagamente. Começou a correr. Estava subitamente mais livre, com mais raiva de tudo, sentiu triunfante. No entanto não era raiva, mas amor. Amor tão forte que só esgotava sua paixão na força do ódio. Agora sou uma víbora sozinha. Lembrou-se de que se separara realmente do professor, que depois daquela conversa jamais poderia voltar... Sentiu-o longe, no ambiente que já agora ela recordava com espanto e sem familiaridade. Sozinha...

O tio e a tia já estavam à mesa. Mas a quem deles ela diria: tenho cada vez mais força, estou crescendo, serei moça? Nem a eles, nem a ninguém. Porque também a nenhum poderei perguntar: diga-me, como são as coisas? e ouvir: também não sei, como o professor respondera. O professor ressurgiu à sua frente como no último instante, inclinado para ela, assustado ou feroz, não o sabia, mas recuando, isso, recuando. A resposta, sentiu, não importava tanto. O que valia era que a indagação fora aceita, podia existir. Sua tia retrucaria, surpresa: que coisas? E se chegasse a entender, certamente diria: são assim, assim e assim. Com quem Joana falaria agora das coisas que existem com a naturalidade com que se fala das outras, das que estão apenas?

Coisas que existem, outras que apenas estão... Surpreendeu-se com o pensamento novo, inesperado, que viveria dagora em diante como flores sobre o túmulo. Que viveria, que viveria, outros pensamentos nasceriam e viveriam e ela própria estava mais viva. A alegria cortou-lhe o coração, feroz, iluminou-lhe o corpo. Apertou o copo entre os dedos, bebeu água com os olhos fechados como se fosse vinho, sangrento e glorioso vinho, o sangue de Deus. Sim, a nenhum deles explicaria que tudo mudava lentamente... Que ela guardara o sorriso como quem apaga finalmente a lâmpada e resolve deitar-se. Agora as criaturas não eram admitidas no seu interior, nele fundindo-se. As relações com as pessoas tornavam-se cada vez mais diferentes das relações que mantinha consigo mesma. A doçura da infância desaparecia nos seus últimos traços, alguma fonte estancava para o exterior e o que ela oferecia aos passos dos estranhos era areia incolor e seca. Mas ela caminhava para frente, sempre para a frente como se anda na praia, o vento alisando o rosto, levando para trás os cabelos.

Como entregar-lhes: é a segunda vertigem num só dia? mesmo que ardesse por confiar o segredo a alguém. Porque ninguém mais na sua vida, ninguém mais talvez haveria de lhe dizer, como o professor: vive-se e morre-se. Todos esqueciam, todos só sabiam brincar. Olhou-os. Sua tia brincava com uma casa, uma cozinheira, um marido, uma filha casada, visitas. O tio brincava com dinheiro, com trabalho, com uma fazenda, com jogo de xadrez, com jornais. Joana procurou analisá-los, sentindo que assim os destruiria. Sim, gostavam-se de um modo longínquo e velho. De quando em quando, ocupados com seus brinquedos, lançavam-se olhares inquietos, como para se assegurarem de que continuavam a existir. Depois retomavam a morna distância que diminuía por ocasião de algum resfriado ou de um aniversário. Dormiam juntos certamente, pensou Joana sem prazer na malícia.

A tia estendeu-lhe o prato de pão em silêncio. O tio não levantava os olhos do prato.

A comida era uma das grandes preocupações da casa, continuou Joana. À hora das refeições, os braços apoiados pesadamente sobre a mesa, o homem se alimentava arfando ligeiramente, porque sofria do coração, e enquanto mastigava, algum farelo esquecido fora da boca, seu olhar se fixava vidrado em qualquer ponto, a atenção voltada às sensações interiores que a comida lhe produzia. A tia cruzava os pés sob a cadeira, e, as sobrancelhas franzidas, comia com uma curiosidade que se renovava a cada garfada, o rosto rejuvenescido e móvel. Mas por que hoje não se abandonavam nas cadeiras? Por que cuidavam de não chocar os talheres, como se alguém estivesse morto ou dormindo? Sou eu, adivinhou Joana.

Ao redor da mesa escura, sob a luz enfraquecida pelas franjas sujas do lustre, também o silêncio se sentara nessa noite. Joana em momentos parava para ouvir o ruído das duas bocas mastigando e o tique-taque leve e nervoso do relógio. Então a mulher erguia os olhos e imobilizada com o garfo na mão, esperava ansiosa e humilde. Joana desviava a vista, vitoriosa, e abaixava a cabeça numa alegria profunda que inexplicavelmente vinha misturada a um aperto doloroso na garganta, a uma impossibilidade de soluçar.

– Armanda não veio? – a voz de Joana apressou o tique-taque do relógio, fez nascer um súbito e rápido movimento na mesa.

Os tios se entreolharam furtivamente. Joana respirou alto: tinham medo dela, pois?

– O marido de Armanda hoje não está de plantão, por isso ela não veio jantar aqui, respondeu finalmente a tia. E de repente, satisfeita, pôs-se a comer. O tio mastigava mais depressa. O silêncio voltou sem dissolver o murmúrio longínquo do mar. Eles não tinham coragem, então.

– Quando é que eu vou para o internato? – perguntou Joana.

A terrina de sopa escorregou das mãos da tia, o caldo escuro e cínico espalhou-se rapidamente pela mesa. O tio abandonou os talheres sobre o prato, o rosto angustiado.

– Como sabe que..., balbuciou confuso...

Ela escutara à porta...

A toalha embebida fumegava docemente como restos de um incêndio. Imóvel e fascinada como diante de algo irremediável, a mulher fitava a sopa derramada que esfriava rapidamente.

A água cega e surda mas alegremente não muda brilhando e borbulhando de encontro ao esmalte claro da banheira. O quarto abafado de vapores mornos, os espelhos embaçados, o reflexo do corpo já nu de uma jovem nos mosaicos úmidos das paredes.

A moça ri mansamente de alegria de corpo. Suas pernas delgadas, lisas, os seios pequenos brotaram da água. Ela mal se conhece, nem cresceu de todo, apenas emergiu da infância. Estende uma perna, olha o pé de longe, move-o terna, lentamente como a uma asa frágil. Ergue os braços acima da cabeça, para o teto perdido na penumbra, os olhos fechados, sem nenhum sentimento, só movimento. O corpo se alonga, se espreguiça, refulge úmido na meia escuridão – é uma linha tensa e trêmula. Quando abandona os braços de novo se condensa, branca e segura. Ri baixinho, move o longo pescoço de um a outro lado, inclina a cabeça para trás – a relva é sempre fresca, alguém vai beijá-la, coelhos macios e pequenos se agasalham uns nos outros de olhos fechados. – Ri de novo, em leves murmúrios como os da água. Alisa a cintura, os quadris, sua vida.

Imerge na banheira como no mar. Um mundo morno se fecha sobre ela silenciosamente, quietamente. Pequenas bolhas deslizam suaves até se apagarem de encontro ao esmalte. A jovem sente a água pesando sobre seu corpo, para um instante como se lhe tivessem tocado de leve o ombro. Atenta para o que está sentindo, a invasão suave da maré. Que houve? Torna-se uma criatura séria, de pupilas largas e profundas. Mal respira. O que houve? Os olhos abertos e mudos das coisas continuam brilhando entre os vapores. Sobre o mesmo corpo que adivinhou alegria existe água – água. Não, não... Por quê? Seres nascidos no mundo como a água. Agita-se, procura fugir. Tudo – diz devagar como entregando uma coisa, perscrutando-se sem se entender. Tudo. E essa palavra é paz, grave e incompreensível como um ritual. A água cobre seu corpo. Mas o que houve? Murmura baixinho, diz sílabas mornas, fundidas.

O quarto de banho é indeciso, quase morto. As coisas e as paredes cederam, se adoçam e diluem em fumaças. A água esfria ligeiramente sobre sua pele e ela estremece de medo e desconforto.

Quando emerge da banheira é uma desconhecida que não sabe o que sentir. Nada a rodeia e ela nada conhece. Está leve e triste, move-se lentamente, sem pressa por muito tempo. O frio corre com os pezinhos gelados pelas suas costas mas ela não quer brincar, encolhe o torso ferida, infeliz. Enxuga-se sem amor, humilhada e pobre, envolve-se no roupão como em braços mornos. Fechada dentro de si, não querendo olhar, ah, não querendo olhar, desliza pelo corredor – a longa garganta vermelha e escura e discreta por onde afundará no bojo, no tudo. Tudo, tudo, repete misteriosamente. Cerra as janelas do quarto – não ver, não ouvir, não sentir. Na cama silenciosa, flutuante na escuridão, aconchega-se como no ventre perdido e esquece. Tudo é vago, leve e mudo.

Atrás dela alinhavam-se as camas do dormitório do internato. E à frente a janela se abria para a noite.

Descobri em cima da chuva um milagre – pensava Joana – um milagre partido em estrelas grossas, sérias e brilhantes, como um aviso parado: como um farol. O que tentam dizer? Nelas pressinto o segredo, esse brilho é o mistério impassível que ouço fluir dentro de mim, chorar em notas largas, desesperadas e românticas. Meu Deus, pelo menos comunicai-me com elas, fazei realidade meu desejo de beijá-las. De sentir nos lábios a sua luz, senti-la fulgurar dentro do corpo, deixando-o faiscante e transparente, fresco e úmido como os minutos que antecedem a madrugada. Por que surgem em mim essas sedes estranhas? A chuva e as estrelas, essa mistura fria e densa me acordou, abriu as portas de meu bosque verde e sombrio, desse bosque com cheiro de abismo onde corre água. E uniu-o à noite. Aqui, junto à janela, o ar é mais calmo. Estrelas, estrelas, rezo. A palavra estala entre meus dentes em estilhaços frágeis. Porque não vem a chuva dentro de mim, eu quero ser estrela. Purificai-me um pouco e terei a massa desses seres que se guardam atrás da chuva. Nesse momento minha inspiração dói em todo o meu corpo. Mais um instante e ela precisará ser mais do que uma inspiração. E em vez dessa felicidade asfixiante, como um excesso de ar, sentirei nítida a impotência de ter mais do que uma inspiração, de ultrapassá-la, de possuir a própria coisa – e ser realmente uma estrela. Aonde leva a loucura, a loucura. No entanto é a verdade. Que importa que em aparência eu continue nesse momento no dormitório, as outras moças mortas sobre as camas, o corpo imóvel? Que importa o que é realmente? Na verdade estou ajoelhada, nua como um animal, junto à cama, minha alma se desesperando como só o corpo de uma virgem pode se desesperar. A cama desaparece aos poucos, as paredes do aposento se afastam, tombam vencidas. E eu estou no mundo, solta e fina como uma corça na planície. Levanto-me suave como um sopro, ergo minha cabeça de flor e sonolenta, os pés leves, atravesso campos além da terra, do mundo, do tempo, de Deus. Mergulho e depois emerjo, como de nuvens, das terras ainda não possíveis, ah ainda não possíveis. Daquelas que eu ainda não soube imaginar, mas que brotarão. Ando, deslizo, continuo, continuo... Sempre, sem parar, distraindo minha sede cansada de pousar num fim. – Onde foi que eu já vi uma lua alta no céu, branca e silenciosa? As roupas lívidas flutuando ao vento. O mastro sem bandeira, erecto e mudo fincado no espaço... Tudo à espera da meia-noite... – Estou me enganando, preciso voltar. Não sinto loucura no desejo de morder estrelas, mas ainda existe a terra. E porque a primeira verdade está na terra e no corpo. Se o brilho das estrelas dói em mim, se é possível essa comunicação distante, é que alguma coisa quase semelhante a uma estrela tremula dentro de mim. Eis-me de volta ao corpo. Voltar ao meu corpo. Quando me surpreendo ao fundo do espelho assusto-me. Mal posso acreditar que tenho limites, que sou recortada e definida. Sinto-me espalhada no ar, pensando dentro das criaturas, vivendo nas coisas além de mim mesma. Quando me surpreendo ao espelho não me assusto porque me ache feia ou bonita. É que me descubro de outra qualidade. Depois de não me ver há muito quase esqueço que sou humana, esqueço meu passado e sou com a mesma libertação de fim e de consciência quanto uma coisa apenas viva. Também me surpreende, os olhos abertos para o espelho pálido, de que haja tanta coisa em mim além do conhecido, tanta coisa sempre silenciosa. Por que calada? Essas curvas sob a blusa vivem impunemente? Por que caladas? Minha boca, meio infantil, tão certa de seu destino, continua igual a si mesma apesar de minha distração total. Às vezes, à minha descoberta, segue-se o amor por mim mesma, um olhar constante ao espelho, um sorriso de compreensão para os que me fitam. Período de interrogação ao meu corpo, de gula, de sono, de amplos passeios ao ar livre. Até que uma frase, um olhar – como o espelho – relembram-me surpresa outros segredos, os que me tornam ilimitada. Fascinada mergulho o corpo no fundo do poço, calo todas as suas fontes e sonâmbula sigo por outro caminho. – Analisar instante por instante, perceber o núcleo de cada coisa feita de tempo ou de espaço. Possuir cada momento, ligar a consciência a eles, como pequenos filamentos quase imperceptíveis mas fortes. É a vida? Mesmo assim ela me escaparia. Outro modo de captá-la seria viver. Mas o sonho é mais completo que a realidade, esta me afoga na inconsciência. O que importa afinal: viver ou saber que se está vivendo? – Palavras muito puras, gotas de cristal. Sinto a forma brilhante e úmida debatendo-se dentro de mim. Mas onde está o que quero dizer, onde está o que devo dizer? Inspirai-me, eu tenho quase tudo; eu tenho o contorno à espera da essência; é isso? – O que deve fazer alguém que não sabe o que fazer de si? Utilizar-se como corpo e alma em proveito do corpo e da alma? Ou transformar sua força em força alheia? Ou esperar que de si mesma nasça, como uma consequência, a solução? Nada posso dizer ainda dentro da forma. Tudo o que possuo está muito fundo dentro de mim. Um dia, depois de falar enfim, ainda terei do que viver? Ou tudo o que eu falasse estaria aquém e além da vida? – Tudo o que é forma de vida procuro afastar. Tento isolar-me para encontrar a vida em si mesma. No entanto apoiei-me demais no jogo que distrai e consola e quando dele me afasto, encontro-me bruscamente sem amparo. No momento em que fecho a porta atrás de mim, instantaneamente me desprendo das coisas. Tudo o que foi distancia-se de mim, mergulhando surdamente nas minhas águas longínquas. Ouço-a, a queda. Alegre e plana espero por mim mesma, espero que lentamente me eleve e surja verdadeira diante de meus olhos. Em vez de me obter com a fuga, vejo-me desamparada, solitária, jogada num cubículo sem dimensões, onde a luz e a sombra são fantasmas quietos. No meu interior encontro o silêncio procurado. Mas dele fico tão perdida de qualquer lembrança de algum ser humano e de mim mesma, que transformo essa impressão em certeza de solidão física. Se desse um grito – imagino já sem lucidez – minha voz receberia o eco igual e indiferente das paredes da terra. Sem viver coisas eu não encontrarei a vida, pois? Mas, mesmo assim, na solitude branca e ilimitada onde caio, ainda estou presa entre montanhas fechadas. Presa, presa. Onde está a imaginação? Ando sobre trilhos invisíveis. Prisão, liberdade. São essas as palavras que me ocorrem. No entanto não são as verdadeiras, únicas e insubstituíveis, sinto-o. Liberdade é pouco. O que desejo ainda não tem nome. – Sou pois um brinquedo a quem dão corda e que terminada esta não encontrará vida própria, mais profunda. Procurar tranquilamente admitir que talvez só a encontre se for buscá-la nas fontes pequenas. Ou senão morrerei de sede. Talvez não tenha sido feita para as águas puras e largas, mas para as pequenas e de fácil acesso. E talvez meu desejo de outra fonte, essa ânsia que me dá ao rosto um ar de quem caça para se alimentar, talvez essa ânsia seja uma ideia – e nada mais. Porém – os raros instantes que às vezes consigo de suficiência, de vida cega, de alegria tão intensa e tão serena como o canto de um órgão – esses instantes não provam que sou capaz de satisfazer minha busca e que esta é sede de todo o meu ser e não apenas uma ideia? Além do mais, a ideia é a verdade! grito-me. São raros os instantes. Quando ontem, na aula, repentinamente pensei, quase sem antecedentes, quase sem ligação com as coisas: o movimento explica a forma. A clara noção do perfeito, a liberdade súbita que senti... Naquele dia, na fazenda de titio, quando caí no rio. Antes estava fechada, opaca. Mas, quando me levantei, foi como se tivesse nascido da água. Saí molhada, a roupa colada à pele, os cabelos brilhantes, soltos. Qualquer coisa agitava-se em mim e era certamente meu corpo apenas. Mas num doce milagre tudo se torna transparente e isso era certamente minha alma também. Nesse instante eu estava verdadeiramente no meu interior e havia silêncio. Só que meu silêncio, compreendi, era um pedaço do silêncio do campo. E eu não me sentia desamparada. O cavalo de onde eu caíra, esperava-me junto ao rio. Montei-o e voei pelas encostas que a sombra já invadia e refrescava. Freei as rédeas, passei a mão pelo pescoço latejante e quente do animal. Continuei a passo lento, escutando dentro de mim a felicidade, alta e pura como um céu de verão. Alisei meus braços, onde ainda escorria a água. Sentia o cavalo vivo perto de mim, uma continuação do meu corpo. Ambos respirávamos palpitantes e novos. Uma cor maciamente sombria deitara-se sobre as campinas mornas do último sol e a brisa leve voava devagar. É preciso que eu não esqueça, pensei, que fui feliz, que estou sendo feliz mais do que se pode ser. Mas esqueci, sempre esqueci.

Eu estava sentada na Catedral, numa espera distraída e vaga. Respirava opressa o perfume roxo e frio das imagens. E, subitamente, antes que pudesse compreender o que se passava, como um cataclisma, o órgão invisível desabrochou em sons cheios, trêmulos e puros. Sem melodia, quase sem música, quase apenas vibração. As paredes compridas e as altas abóbadas da igreja recebiam as notas e devolviam-nas sonoras, nuas e intensas. Elas traspassavam-me, entrecruzavam-se dentro de mim, enchiam meus nervos de estremecimentos, meu cérebro de sons. Eu não pensava pensamentos, porém música. Insensivelmente, sob o peso do cântico, escorreguei do banco, ajoelhei-me sem rezar, aniquilada. O órgão emudeceu com a mesma subitaneidade com que iniciara, como uma inspiração. Continuei respirando baixinho, o corpo vibrando ainda aos últimos sons que restavam no ar num zumbido quente e translúcido. E era tão perfeito o momento que eu nada temia nem agradecia e não caí na ideia de Deus. Quero morrer agora, gritava alguma coisa dentro de mim liberta, mais do que sofrendo. Qualquer instante que sucedesse àquele seria mais baixo e vazio. Queria subir e só a morte como um fim me daria o auge sem a queda. As pessoas se levantavam ao meu redor, movimentavam-se. Ergui-me, caminhei para a saída, frágil e pálida.

A MULHER DA VOZ E JOANA

Joana não a olhou mais atentamente senão quando ouviu sua voz. O tom baixo e curvo, sem vibrações, despertou-a. Fitou a mulher com curiosidade. Deveria ter vivido alguma coisa que Joana ainda não conhecera. Não compreendia aquela entonação, tão longe da vida, tão longe dos dias...

Joana lembrou-se de como uma vez, poucos meses depois de casada, dirigira-se ao marido perguntando-lhe qualquer coisa. Estavam na rua. E antes mesmo de terminar a frase, com surpresa de Otávio, ela parara – a testa franzida, o olhar divertido. Ah – descobrira – então ela repetia uma daquelas vozes que ouvira em solteira tantas vezes, sempre vagamente perplexa. A voz de uma mulher jovem junto de seu homem. Como a dela própria que soara naquele instante para Otávio: aguda, vazia, lançada para o alto, com notas iguais e claras. Algo inacabado, extático, um pouco saciado. Tentando gritar... Claros dias, límpidos e secos, voz e dias assexuados, meninos de coro em missa campal. E alguma coisa perdida, encaminhando-se para um brando desespero... Aquele timbre de recém-casada tinha uma história, uma história frágil que passava despercebida da dona da voz, mas não desta.

Desde aquele dia, Joana sentia as vozes, compreendia-as ou não as compreendia. Provavelmente no fim da vida, a cada timbre ouvido, uma onda de lembranças próprias subiria até sua memória, ela diria: quantas vozes eu tive...

Inclinou-se para a mulher. Chegara até ela à procura de uma casa onde morar e agradecia-se ter ido sem o marido porque, sozinha, estava mais livre para observar. E ali, sim, ali estava qualquer coisa que ela não esperara, uma pausa. Mas a outra nem a olhava sequer. Pensando pela cabeça de Otávio, Joana adivinhou que ele consideraria a mulher apenas vulgar, com aquele nariz grande, pálido e calmo. A criatura explicava as conveniências e inconveniências da casa a alugar, e ao mesmo tempo passeava os olhos pelo chão, pela janela, pela paisagem, sem impaciência, sem interesse. O corpo limpo, os cabelos escuros. Grande, forte. E a voz, voz de terra. Sem chocar-se com nenhum objeto, macia e longínqua como se tivesse percorrido longos caminhos sob o solo até chegar à sua garganta.

– Casada? – perguntou Joana, debruçada sobre ela.

– Viúva, com um filho. – E continuou a destilar seu canto sobre os aluguéis da zona.

– Não, creio que a casa não interessa, é grande demais para um casal, disse Joana apressada, um pouco áspera. Mas – adoçou as palavras, escondeu a avidez – posso visitá-la uma vez ou outra para conversarmos?

A outra não se surpreendeu. Alisou com uma das mãos a cintura engrossada pela maternidade e pela lentidão de movimentos:

– Acho que vai ser difícil... Vou visitar amanhã meu filho. É casado. Vou viajar...

Sorria sem alegria, sem emoção. Apenas: vou viajar. O que interessava àquela mulher? – indagava-se Joana. Teria um amante...

– Vive só, a senhora? – perguntou-lhe.

– Minha irmã mais moça foi ser irmã de caridade. Moro com a outra.

– Não é triste viver sem um homem na casa? – prosseguiu Joana.

– Acha? – retrucou a mulher.

– Estou perguntando se a senhora acha e não eu. Sou casada, ajuntou Joana, tentando dar um ar íntimo à conversa.

– Ah, eu não acho triste não. – E sorria sem cor. – Bem, vou lhe pedir licença para me despedir, já que não lhe interessa a casa. Preciso lavar umas peças de roupa antes de tomar minha fresca na janela.

Joana prosseguiu seu caminho humilhada. Débil mental, sem dúvida... Mas a voz? Não pôde libertar-se dela durante todo o resto da tarde. Sua imaginação corria em busca do sorriso da mulher, de seu corpo largo e quieto. Ela não tinha história, descobriu Joana devagar. Porque se lhe aconteciam coisas, estas não eram ela e não se misturavam à sua verdadeira existência. O principal – incluindo o passado, o presente e o futuro – é que estava viva. Esse o fundo da narrativa. Às vezes esse fundo aparecia apagado, de olhos cerrados, quase inexistente. Mas bastava uma pequena pausa, um pouco de silêncio, para ele agigantar-se e surgir em primeiro plano, os olhos abertos, o murmúrio leve e constante como o de água entre pedras. Por que descrever mais do que isso? É certo que lhe aconteciam coisas vindas de fora. Perdeu ilusões, sofreu alguma pneumonia. Aconteciamlhe coisas. Mas apenas vinham adensar ou enfraquecer o murmúrio do seu centro. Por que contar fatos e detalhes se nenhum a dominava afinal? E se ela era apenas a vida que corria em seu corpo sem cessar?

Nunca suas interrogações foram inquietas à procura de resposta – continuou Joana descobrindo. Nasciam mortas, sorridentes, amontoavam-se sem desejo nem esperanças. Ela não tentava qualquer movimento para fora de si.

Muitos anos de sua existência gastou-os à janela, olhando as coisas que passavam e as paradas. Mas na verdade não enxergava tanto quanto ouvia dentro de si a vida. Fascinara-a o seu ruído – como o da respiração de uma criança tenra –, o seu brilho doce – como o de uma planta recém-nascida. Ainda não se cansara de existir e bastava-se tanto que às vezes, de grande felicidade, sentia a tristeza cobri-la como a sombra de um manto, deixando-a fresca e silenciosa como um entardecer. Ela nada esperava. Ela era em si, o próprio fim.

Uma vez dividiu-se, inquietou-se, passou a sair e a procurar-se. Foi a lugares onde se encontravam homens e mulheres. Todos disseram: felizmente despertou, a vida é curta, precisa-se aproveitar, antes ela era apagada, agora é que é gente. Ninguém sabia que ela estava sendo infeliz a ponto de precisar buscar a vida. Foi então que escolheu um homem, amou-o e o amor veio adensar-lhe o sangue e o mistério. Deu à luz um filho, o marido morreu depois de fecundá-la. Ela continuou e desenvolvia-se muito bem. Juntou todos os seus pedaços e não procurou mais as pessoas. Reencontrou a janela onde se instalava em companhia de si mesma. E agora, mais do que sempre, nunca se vira uma coisa ou uma criatura mais feliz e mais completa. Apesar de que muitos a olhavam com complacência, achando-a fraca. Pois seu espírito era tão forte que nunca ela deixara de almoçar ou jantar muito bem, sem excesso de prazer aliás. Nada do que diziam lhe importava, assim como os acontecimentos, e tudo deslizava sobre ela e ia perder-se em águas outras que não as interiores.

Um dia, depois de viver sem tédio muitos iguais, viu-se diferente de si mesma. Estava cansada. Andou de um lado para outro. Ela própria não sabia o que queria. Pôs-se a cantar baixinho, com a boca fechada. Depois cansou-se e passou a pensar em coisas. Mas não o conseguia inteiramente. Dentro de si algo tentava parar. Ficou esperando e nada vinha dela para ela. Vagarosamente entristeceu de uma tristeza insuficiente e por isso duplamente triste. Continuou a andar por vários dias e seus passos soavam como o cair de folhas mortas no chão. Ela mesma estava interiormente forrada de cinzento e nada enxergava em si senão um reflexo, como gotas esbranquiçadas a escorrerem, um reflexo de seu ritmo antigo, agora lento e grosso. Então soube que estava esgotada e pela primeira vez sofreu porque realmente dividira-se em duas, uma parte diante da outra, vigiando-a, desejando coisas que esta não podia mais dar. Na verdade ela sempre fora duas, a que sabia ligeiramente que era e a que era mesmo, profundamente. Apenas até então as duas trabalhavam em conjunto e se confundiam. Agora a que sabia que era trabalhava sozinha, o que significava que aquela mulher estava sendo infeliz e inteligente. Tentou num último esforço inventar alguma coisa, um pensamento, que a distraísse. Inútil. Ela só sabia viver.

Até que a ausência de si mesma acabou por fazê-la cair dentro da noite e pacificada, escurecida e fresca, começou a morrer. Depois morreu docemente, como se fosse um fantasma. Não se sabe de mais nada porque ela morreu. Adivinha-se apenas que no fim ela também estava sendo feliz como uma coisa ou uma criatura podem ser. Porque ela nascera para o essencial, para viver ou morrer. E o intermediário era-lhe o sofrimento. Sua existência foi tão completa e tão ligada à verdade que provavelmente na hora de entregar-se e findar, teria pensado, se tivesse o hábito de pensar: eu nunca fui. Também não se sabe o que se fez dela. A uma vida tão bela deve ter-se seguido uma morte bela também. Certamente hoje é grãos de terra. Olha para cima, para o céu, durante todo o tempo. Às vezes chove, ela fica cheia e redonda nos seus grãos. Depois vai secando com o estio e qualquer vento a dispersa. Ela é eterna agora.

Depois de um instante de absorção, Joana percebeu que a invejara, aquele ser meio morto que lhe sorrira e falara num tom de voz desconhecido. Sobretudo, pensou ainda, compreende a vida porque não é suficientemente inteligente para não compreendê-la. Mas de que valia qualquer raciocínio... Se se subisse ao ponto de entendê-la, sem enlouquecer no entanto, não se poderia conservar o conhecimento como conhecimento mas transformá-lo-iam em atitude, em atitude de vida, único modo de possuí-lo e exprimi-lo integralmente. E essa atitude não seria muito diversa daquela na qual repousava a mulher da voz. Eram tão pobres os caminhos da ação.

Teve um rápido movimento com a cabeça, impaciente. Pegou num lápis, num papel, rabiscou em letra intencionalmente firme: "A personalidade que ignora a si mesma realiza-se mais completamente." Verdade ou mentira? Mas de certo modo vingara-se jogando sobre aquela mulher entumescida de vida seu pensamento frio e inteligente.

e profundis." Joana esperou que a ideia se tornasse mais clara, que subisse das névoas aquela bola brilhante e leve que era o germe de um pensamento. "De profundis." Sentia-o vacilar, quase perder o equilíbrio e mergulhar para sempre em águas desconhecidas. Ou senão, a momentos, afastar as nuvens e crescer trêmulo, quase emergir completamente... Depois o silêncio.

Fechou os olhos, vagarosamente foi descansando. Quando os abriu recebeu um pequeno choque. E durante longos e profundos segundos soube que aquele trecho de vida era uma mistura do que já vivera com o que ainda viveria, tudo fundido e eterno. Estranho, estranho. A luz alaranjada das 9 horas, aquela impressão de intervalo, um piano longínquo insistindo nas notas agudas, seu coração batendo apressado de encontro ao calor da manhã e, atrás de tudo, feroz, ameaçador, o silêncio latejando grosso e impalpável. Tudo desvaneceu-se. O piano interrompeu a insistência nas últimas notas e após um instante de repouso retomou docemente alguns sons do meio, em melodia nítida e fácil. E em breve ela não saberia dizer se a impressão da manhã fora verdadeira ou se apenas uma ideia. Deteve-se atenta para reconhecê-la... Um súbito cansaço confundiu-a um instante. Os nervos abandonados, o rosto relaxado, sentiu uma leve onda de ternura por si mesma, de quase agradecimento, embora não soubesse por quê. Por um minuto pareceu-lhe que já vivera e que estava no fim. E logo em seguida, que tudo fora branco até agora, como um espaço vazio, e que ouvia longínqua e surdamente o fragor da vida se aproximando, densa, caudalosa e violenta, as ondas altas rasgando o céu, aproximando-se, aproximando-se... para submergi-la, para submergi-la, afogá-la asfixiando-a...

Caminhou para a janela, estendeu os braços para fora e esperou inutilmente que um pouco de brisa viesse alisá-los. Ficou assim esquecida por longo tempo. Conservava os ouvidos entrefechados por uma contração dos músculos do rosto, os olhos cerrados mal deixando passar a luz, a cabeça projetada para frente. Aos poucos conseguiu realmente isolar-se. Esse estado meio inconsciente, onde parecia-lhe mergulhar profundamente em ar morno, cinzento... Pôs-se diante do espelho e entre dentes, os olhos ardendo de ódio:

– E agora?

Não pôde deixar de notar seu próprio rosto, pequeno e aceso. Com ele distraiu-se um instante, esquecendo a raiva. Justamente sempre acontecia uma pequena coisa que a desviava da torrente principal. Era tão vulnerável. Odiava-se por isso? Não, odiar-se-ia mais se já fosse um tronco imutável até a morte, apenas capaz de dar frutos mas não de crescer dentro de si mesma. Desejava ainda mais: renascer sempre, cortar tudo o que aprendera, o que vira, e inaugurar-se num terreno novo onde todo pequeno ato tivesse um significado, onde o ar fosse respirado como da primeira vez. Tinha a sensação de que a vida corria espessa e vagarosa dentro dela, borbulhando como um quente lençol de lavas. Talvez se amasse... E se, pensou longinquamente, de súbito um clarim cortasse com seu som agudo aquela manta da noite e deixasse a campina livre, verde e extensa... E então cavalos brancos e nervosos com movimentos rebeldes de pescoço e pernas, quase voando, atravessassem rios, montanhas, vales... Neles pensando, sentia o ar fresco circular dentro de si próprio como saído de alguma gruta oculta, úmida e fresca no meio do deserto.

Mas em breve voltou a si mesma, numa queda vertical. Examinou os braços, as pernas. Lá estava ela. Lá estava ela. Mas era preciso se distrair, pensou com dureza e ironia. Com urgência. Pois não morreria? Riu alto e olhou-se rapidamente ao espelho para observar o efeito do riso no rosto. Não, não o aclarava. Parecia uma gata selvagem, os olhos ardendo acima das faces incendiadas, pontilhadas de sardas escuras de sol, os cabelos castanhos despenteados sobre as sobrancelhas. Enxergava em si púrpura sombria e triunfante. O que fazia com que brilhasse tanto? O tédio... Sim, apesar de tudo havia fogo sob ele, havia fogo mesmo quando representava a morte. Talvez isso fosse o gosto de viver.

De novo a inquietação tomou-a, pura, sem raciocínios. Ah, talvez eu deva andar, talvez... Fechou os olhos um instante, permitindo-se o nascimento de um gesto ou de uma frase sem lógica. Fazia sempre isso, confiava em que no fundo, embaixo das lavas, houvesse um desejo já dirigido para um fim. Às vezes, quando por um mecanismo especial, do mesmo modo como se desliza para o sono, fechava as portas da consciência e se deixava agir ou falar, recebia surpreendida – porque a percepção do gesto vinha-lhe apenas no momento de sua execução – uma bofetada de suas próprias mãos em seu próprio rosto. Às vezes ouvia palavras estranhas e loucas de sua própria boca. Mesmo sem entendê-las, elas deixavam-na mais leve, mais liberta. Repetiu a experiência, os olhos cerrados.

E de lá do fundo de si mesma, após um momento de silêncio e abandono, subiu, a princípio pálido e vacilante, depois cada vez mais forte e doloroso: das profundezas chamo por vós... das profundezas chamo por vós... das profundezas chamo por vós... Permaneceu ainda uns instantes parada, o rosto sem expressão, lasso e cansado como se ela tivesse tido um filho. Aos poucos foi renascendo, abriu os olhos vagarosamente e voltou à luz do dia. Frágil, respirando de leve, feliz como uma convalescente que recebesse a primeira brisa.

Então começou a pensar que na verdade rezara. Ela não. Alguma coisa mais do que ela, de que já não tinha consciência, rezara. Mas não queria orar, repetiu-se mais uma vez fracamente. Não queria porque sabia que esse seria o remédio. Mas um remédio como a morfina que adormece qualquer espécie de dor. Como a morfina de que se precisa cada vez mais de maiores doses para senti-la. Não, ainda não estava tão esgotada que desejasse covardemente rezar em vez de descobrir a dor, de sofrê-la, de possuí-la integralmente para conhecer todos os seus mistérios. E mesmo se rezasse... Terminaria num convento, porque para sua fome quase toda a morfina seria pouca. E isto seria a degradação final, o vício. No entanto, por um caminho natural, se não buscasse um deus exterior terminaria por endeusar-se, por explorar sua própria dor, amando seu passado, buscando refúgio e calor em seus próprios pensamentos, então já nascidos com uma vontade de obra de arte e depois servindo de alimento velho nos períodos estéreis. Havia o perigo de se estabelecer no sofrimento e organizar-se dentro dele, o que seria um vício também e um calmante.

O que fazer então? O que fazer para interromper aquele caminho, conceder-se um intervalo entre ela e ela mesma, para mais tarde poder reencontrar-se sem perigo, nova e pura?

O que fazer?

O piano foi atacado deliberadamente em escalas fortes e uniformes. Exercícios, pensou. Exercícios... Sim, descobriu divertida... Por que não? Por que não tentar amar? Por que não tentar viver?

Música pura desenvolvendo-se numa terra sem homens, sonhava Otávio. Movimentos ainda sem adjetivos. Inconscientes como a vida primitiva que pulsa nas árvores cegas e surdas, nos pequenos insetos que nascem, voam, morrem e renascem sem testemunhas. Enquanto a música volteia e se desenvolve, vivem a madrugada, o dia forte, a noite, com uma nota constante na sinfonia, a da transformação. É a música sem apoio em coisas, em espaço ou tempo, da mesma cor que a vida e a morte. Vida e morte em ideia, isoladas do prazer e da dor. Tão distantes das qualidades humanas que poderiam se confundir com o silêncio. O silêncio, porque essa música seria a necessária, a única possível, projeção vibrante da matéria. E do mesmo modo por que não se entende a matéria e não se a percebe até que os sentidos com ela se choquem, não se ouviria sua música.

E depois? – pensou. Fechar os olhos e ouvir a minha própria que se escoa vagarosa e turva como um rio barrento. A covardia é morna e eu a ela me resigno, depondo todas as armas de herói que vinte e sete anos de pensamento me concederam. O que sou hoje, nesse momento? Uma folha plana, muda, caída sobre a terra. Nenhum movimento de ar balançando-a. Mas respirando para não se acordar. Mas por que, sobretudo por que não usar as palavras próprias e enovelar-me, aconchegar-me em imagens? Por que me chamar de folha morta quando sou apenas um homem de braços cruzados?

Novamente, no meio do raciocínio inútil, veio-lhe um cansaço, um sentimento de queda. Orar, orar. Ajoelhar-se diante de Deus e pedir. O quê? A absolvição. Uma palavra tão larga, tão cheia de sentidos. Não era culpado – ou era? de quê? sabia que sim, porém continuou com o pensamento – não era culpado, mas como gostaria de receber a absolvição. Sobre a testa os dedos largos e gordos de Deus, abençoando-o como um bom pai, um pai feito de terra e de mundo, contendo tudo, tudo, sem deixar de possuir uma partícula sequer que mais tarde pudesse lhe dizer: sim, mas eu não lhe perdoei! Cessaria então aquela acusação muda que todas as coisas aconchegavam contra ele.

O que pensava afinal? Há quanto tempo brincava consigo mesmo imóvel? Teve um gesto qualquer.

Prima Isabel entrou. "Bendito, bendito, bendito", dizia seu olhar apressado e míope, ansioso por se retirar. Só abandonava aquele ar de estrangeira quando se sentava ao piano. Otávio encolheu-se como em pequeno. Ela então sorria, era humana, chegava a perder o ar perfurador. Adquiria uma qualidade plana, mais fácil. Sentada ao piano, os lábios enfarinhados e velhos, tocava Chopin, Chopin, sobretudo todas as valsas.

– Os dedos ficaram duros, dizia orgulhosa de tocar de cor. Falando, movia a cabeça para trás num jeito subitamente coquete, de dançarina de café. Otávio corava. Prostituta, pensava, e apagava imediatamente a palavra com um movimento doloroso. Mas como ousava? Lembrava-se de seu rosto inclinado atentamente sobre ele, cuidando de suas dores de estômago. Detesto-a por isso mesmo, pensava sem lógica. E era sempre tarde: o pensamento antecedia-o. Prostituta – como se batesse em si mesmo com um chicote. No entanto, mesmo quando se arrependia, voltava a pecar. Quantas vezes, em criança, um instante antes de adormecer, subitamente tinha consciência de que prima Isabel estava na cama, insone, talvez sentada, os cabelos grisalhos em trança, a camisola de pano grosso fechada como a de uma virgem. Sentia o remorso como um ácido espalhar-se pelo interior do corpo. Mas cada vez mais odiava-a por não poder amá-la.

Ela não conseguia dar mais aquela antiga suavidade entre uma nota e outra, como um desmaio. Um som prendia-se ao outro, áspero, sincopado, e as valsas explodiam fracas, saltitantes e falhadas. Às vezes as badaladas espaçadas e ocas do velho relógio vinham dividir a música em compassos assimétricos. Otávio ficava à espreita da pancada seguinte, o coração em sobressalto. Como se elas precipitassem todas as coisas numa dança muda e docemente maluca. Aquelas batidas cortando implacáveis a música, sempre no mesmo tom, frio e sorridente, arremessavam-no para dentro de si como num vácuo sem apoio. Espiava as costas duras de sua tia, suas mãos – dois animais escuros pulando sobre as teclas amarelas do piano. Ela se voltava e dizia-lhe, concedendo a frase por pura euforia, levemente, como quem joga flores:

– Que é que você tem? Vou tocar uma coisa mais alegre...

Vinha uma daquelas valsas de salão, ingênuas e nervosas, as quais não se lembrava de ter ouvido mas que se uniam misteriosamente a velhos trechos em sua memória.

– Isso não, prima, isso não...

Era cômico demais. Ele tinha medo. Pedir perdão por não se extasiar diante de sua música, pedir perdão por achá-la insuportável desde pequeno, com aquele seu cheiro de panos velhos, de joias guardadas, quando a via preparar o "seu chazinho contra dores", quando ela lhe prometia tocar uma coisa muito bonita se ele estudasse bastante. Reviu-a saindo de casa, o pó branco e leve sobre a pele cinzenta, o grande decote redondo descobrindo o pescoço onde as veias arquejavam, trágicas. Os sapatinhos rasos de menina, o guarda-chuva usado com aterrorizante desenvoltura, como bengala. Pedir perdão por desejar – não, não! – que ela enfim morresse. – Estremeceu, começou a suar. Mas eu não tenho culpa! Oh! ir embora, fazer o plano do livro de direito civil, afastar-se daquele mundo horrível, repugnantemente íntimo e humano.

– Então lá vai "Gorjeio da Primavera"... – disse prima Isabel.

Sim, sim. Eu quero a primavera... Ajudai-me. Eu sufoco. A primavera ridícula era ainda mais primavera e alegria.

– Essa música parece uma rosa azul, disse ela voltada a meio em sua direção, sorrindo levemente maliciosa. No rosto seco e rugoso repentinamente, um veio d'água no deserto, os dois pequenos brilhantes tremiam de suas orelhas murchas, duas pequenas gotas úmidas, cintilantes. Ah, eram excessivamente frescas e voluptuosas... A velha possuía bens. Mas se usava os pendentes era por uma razão que ele nunca soubera: ela própria comprara as pedras, mandara engastá-las em brincos, carregava-os como dois fantasmas sob os cabelos grisalhos e arrepiados.

Essa música parece uma rosa azul, dissera bem cons-
ciente de que só ela podia compreender. Por experiência
ele sabia que deveria perguntar-lhe o significado da frase e
pacientemente dar-lhe o prazer de responder, mordendo o
lábio inferior:

– Ah, isso é cá comigo.

Dessa vez no entanto o antigo jogo emocionante não se
realizou. Apenas ele evitou olhar para a velha e encontrar
seu desapontamento. Levantou-se e foi bater no quarto da
noiva.

Ela cosia perto da janela. Fechou a porta, trancou-a a
chave, ajoelhou-se perto dela. Encostou a cabeça no seu
seio e de novo aspirou aquele perfume morno e adocicado
de rosas velhas. Ela continuava a sorrir, ausente, quase mis-
teriosa, como se prestasse ouvido ao rolar suave de um rio
dentro de seu peito.

– Otávio, Otávio, disse ela com sua voz doce e longínqua.

Nenhum dos habitantes daquela casa, nem a prima sol-
teirona, nem Lídia, nem os criados, viviam – pensou Otávio.
Mentira, retrucou-se: só ele estava morto. Mas continuou:
fantasmas, fantasmas. As vozes distantes, nenhuma espera,
a felicidade.

– Lídia, disse, me perdoe.

– Mas o quê? – espantou-se ela discretamente.

– Tudo.

Vagamente ela achou que deveria concordar e silenciou.
Otávio, Otávio. Tão mais fácil falar com as outras criaturas.
Se não o quisesse tanto, como seria difícil suportar toda
aquela incompreensão da parte dele. Só se entendiam quan-
do se beijavam, quando Otávio encostava a cabeça assim,
no seu seio. Mas a vida era mais longa, pensava assustada.
Haveria momentos em que olharia de frente para ele sem

que sua mão pudesse alcançar a dele. E então – o silêncio pesando. Estaria sempre separado dela e apenas se comunicariam nos instantes destacados – nas horas de muita vida e nas horas de ameaça de morte. Mas não bastava, não bastava... A vida em comum era necessária exatamente para viver os outros momentos, pensava assustada, raciocinando com esforço. A Otávio só poderia dizer as palavras imprescindíveis, como se ele fosse um deus com pressa. Se se alongava numa daquelas conversas vagarosas e sem objetivo, que lhe davam tanto prazer, notava-lhe a impaciência ou senão o rosto excessivamente paciente, heroico. Otávio, Otávio... O que fazer? Sua aproximação era um toque mágico, transformava-a num ser realmente vivo, cada fibra respirando cheia de sangue. Ou senão não a agitava. Adormecia-a como se viesse simplesmente, quietamente, aperfeiçoá-la.

Sabia que era inútil resolver sobre o próprio destino. Amava Otávio desde o momento em que ele a quisera, desde pequenos, sob o olhar alegre da prima. E sempre o amaria. Inútil seguir por outros caminhos, quando para um só seus passos a guiavam. Mesmo quando ele a feria, ela se refugiava nele contra ele. Ela era tão fraca. Em vez de sofrer ao reconhecer sua fraqueza, alegrava-se: sabia vagamente, sem se explicar, que desta é que vinha o seu apoio para Otávio. Sentia que ele sofria, que escondia alguma coisa viva e doente na sua alma e que ela só poderia ajudá-lo usando de toda a passividade que dormia em seu ser.

Às vezes revoltava-se longinquamente: a vida é longa... Temia os dias, um atrás do outro, sem surpresas, de puro devotamento a um homem. A um homem que disporia de todas as forças da mulher para sua própria fogueira, num sacrifício sereno e inconsciente de tudo o que não fosse sua própria personalidade. Era uma falsa revolta, uma tentativa de libertação que vinha sobretudo com muito medo de vitória. Procurava durante alguns dias tomar uma atitude de independência, o que só realizava com um pouco de sucesso pela manhã, quando acordava, ainda sem ter visto o homem. Bastava sua presença, apenas pressentida, para toda ela anular-se e ficar à espera. À noite, sozinha no quarto, queria-o. Todos os seus nervos, todos os seus músculos doentes. Resignou-se pois. A resignação era doce e fresca. Nascera para ela.

Otávio espiou-lhe os cabelos escuros, presos modestamente atrás das orelhas grandes e feias. Espiou-lhe o corpo grosso e firme, como um tronco, as mãos sólidas e bonitas. E, de novo, como o refrém mole de uma canção, repetiu-se: "O que me liga a ela?" Tinha pena de Lídia, sabia que, mesmo sem motivo, mesmo sem conhecer outra mulher, embora ela fosse a única, ele a abandonaria alguma vez. No dia seguinte até. Por que não?

– Sabe? – disse – sonhei essa noite com você.

Ela abriu os olhos, iluminando-se toda:

– Mesmo? O quê?

– Sonhei que íamos os dois por um campo cheio de flores, que eu colhia lírios para você, que você estava toda de branco.

– Mas que sonho bonito...

– Sim, bem bonito.

– Otávio.

– Sim?...

– Você não se incomoda que eu pergunte? Quando vamos casar? Não há nada que nos impeça... Preciso saber por causa do enxoval.

– Só por isso?

Ela corou, contente em poder falar de alguma coisa que a enfeitasse. Tentou desajeitada mostrar-se faceira:

– É por isso e... mesmo porque eu não queria esperar. É tão difícil.

– Entendo. Mas não sei quando.

– Mas por que não imediatamente? Você precisava resolver... Há tanto tempo que...

De repente Otávio ergueu-se e disse:

– Você sabe que é mentira? Que eu não sonhei com você?

Ela olhou-o espantada, pálida.

– Você está brincando...

– Não, estou falando sério. Não sonhei com você.

– Sonhou com quem?

– Com ninguém. Dormi de um sono só, sem sonhos.

Ela retomou a costura.

Joana passou a mão pelo ventre estufado da cachorra, alisando-o com suas mãos finas. Deteve-se ligeiramente atenta.

– Ela está grávida – disse.

E havia qualquer coisa no seu olhar, nas suas mãos apalpando o corpo da cachorra que a ligava diretamente à realidade desnudando-a. Como se ambas formassem um só bloco, sem descontinuidade. A mulher e a cadela ali estavam, vivas e nuas, com algo de feroz na comunhão. Fala com uma justeza de termos que horroriza, pensou Otávio com mal-estar, sentindo-se repentinamente inútil e afeminado. E era apenas a primeira vez em que a via.

Nela havia uma qualidade cristalina e dura que o atraía e repugnava-lhe simultaneamente, notou ele. Até o modo como andava. Sem ternura e gosto pelo próprio corpo, mas jogando-o como uma afronta aos olhos de todos, friamente. Otávio observava-a mover-se e refletia que nem fisicamente era a mulher de quem ele gostaria. Preferia corpos pequenos, acabados, sem intenções. Ou grandes, como o da noiva, fixos, mudos. O que ele lhes dissesse seria o bastante. Aquelas linhas de Joana, frágeis, um esboço, eram inconfortáveis. Cheias de sentido, de olhos abertos, incandescentes. Não era bonita, fina demais. Mesmo sua sensualidade deveria ser diferente da dele, excessivamente luminosa.

Otávio procurava, desde o instante em que a conhecera, não perder nenhum de seus detalhes, dizendo-se: que não se cristalize em mim qualquer sentimento terno; preciso enxergá-la bem. Mas, como se adivinhasse seu exame, Joana se voltava para ele no momento preciso, sorridente, fria, pouco passiva. E tolamente ele agia, falava, confuso e apressado em obedecer-lhe. Em vez de obrigá-la a revelar-se e assim destruir-se no seu poder. E apesar daquele ar de quem ignorava as coisas mais comuns, como logo no primeiro encontro ela o precipitara em si mesmo! Jogara-o na intimidade dele próprio, esquecendo friamente as pequenas e cômodas fórmulas que o sustentavam e lhe facilitavam a comunicação com as pessoas.

Joana contou-lhe...

... O velho foi-se aproximando, a balançar o corpo gordo, o crânio liso. Chegou-se junto dela, os lábios em forma de muxoxo, os olhos arredondados, a voz chorosa. Disse, imitando o tatibitate infantil:

— Machuquei aqui... Tá dodói... Botei remedinho, já tá melhorzinho...

Revirou os olhos e num momento as gorduras tremeram, o brilho dos lábios molhados e frouxos fulgurou docemente. Joana inclinou-se um pouco e viu suas gengivas vazias.

— Não diz que tem pena de mim?

Ela olhava-o séria. Ele não estranhou:

– Não diz nem "tadinho"?

Era de uma pessoa se torcer de riso e de perplexidade vê-lo baixinho, o traseiro saliente, os grandes olhos atentos, numa larga continência trêmula. Ficou ainda silenciosa. Depois, devagar, no mesmo tom:

– Coitadinho.

Ele riu, considerou finda a brincadeira e voltou as costas para a porta. Joana acompanhou-o com o olhar, inclinou-se um pouco para alcançá-lo todo com a vista, mal ele se afastou da mesa. Encarava-o erecta e fria, os olhos abertos, claros. Olhou para a mesa, procurou um instante, pegou num livro pequeno e grosso. No momento em que ele punha a mão no trinco, recebeu-o na nuca, com toda a força. Voltou-se instantaneamente, a mão na cabeça, com os olhos arregalados de dor e de espanto. Joana continuava na mesma posição. Bem, pensava ela, agora já perdeu aquele ar repugnante. Um velho só deveria sofrer.

Disse, a voz alta e simpática:

– Perdoe. Uma pequena lagartixa ali, em cima da porta. – Pequena pausa. – Errei na pontaria.

O velho continuou a olhá-la, sem compreender. Depois um vago terror apossou-se dele diante daquele rosto sorridente:

– Até logo... Não foi nada... – Meu Deus! – Até logo...

Quando a porta fechou-se, ela ficou ainda um tempo com o sorriso no rosto. Alçou os ombros ligeiramente. Foi à janela, o olhar cansado e vazio:

– Talvez eu deva ouvir música.

– Sim, é verdade, joguei o livro em cima dele, respondeu Joana à pergunta de Otávio.

Ele procurou triunfar:

– Mas você não contou isso ao velho!

– Não, eu menti.

Otávio olhou-a, procurou em vão algum remorso, algum sinal de confissão.

– Só depois de viver mais ou melhor, conseguirei a desvalorização do humano, dizia-lhe Joana às vezes. Humano – eu. Humano – os homens individualmente separados. Esquecê-los porque com eles minhas relações apenas podem ser sentimentais. Se eu os procuro, exijo ou dou-lhes o equivalente das velhas palavras que sempre ouvimos, "fraternidade", "justiça". Se elas tivessem um valor real, seu valor não estaria em ser cume, mas base de triângulo. Seriam a condição e não o fato em si. Porém terminam ocupando todo o espaço mental e sentimental exatamente porque são impossíveis de se realizar, são contra a natureza. São fatais, apesar de tudo, no estado de promiscuidade em que se vive. Nesse estado transforma-se o ódio em amor, que nunca passa na verdade de procura de amor, jamais obtido senão em teoria, como no cristianismo.

Oh, poupe-me, gritava Otávio. Ela quisera parar mas o cansaço e a excitação da presença do homem aguçavam-lhe a mente e as palavras rolavam sem cessar.

– É difícil tal desvalorização do humano, continuava, difícil fugir dessa atmosfera de fracasso de revolução – a adolescência –, de solidariedade com os homens na mesma impotência de conseguir. No entanto como seria bom construir alguma coisa pura, liberta do falso amor sublimizado, liberta do medo de não amar... Medo de não amar, pior do que o medo de não ser amado...

Oh, poupe-me, ouvia Joana no silêncio de Otávio. Mas ao mesmo tempo ela gostava de pensar alto, de desenvolver um raciocínio sem plano, seguindo-se apenas. Às vezes mesmo, por puro prazer, inventava reflexões: se uma pedra cai, essa pedra existe, houve uma força que fez com que ela caísse, um lugar de onde ela caiu, um lugar onde ela caiu, um lugar por onde ela caiu – acho que nada escapou à natureza do fato, a não ser o próprio mistério do fato. Mas agora ela falava também porque não sabia dar-se e porque sobretudo apenas pressentia, sem entender, que Otávio poderia abraçá-la e dar-lhe paz.

– Uma noite, mal me deitara, disse-lhe ela, uma das pernas da cama partiu-se jogando-me ao chão. Depois de um movimento de cólera, porque nem ao menos tinha sono bastante para dispensar o conforto, pensei subitamente: por que motivo uma cama inteira, e não uma quebrada? Deitei-me e em breve dormia...

Ela não era bonita. Às vezes como que o espírito a abandonava e então revelava-se o que, por uma vigilância sobre-humana – imaginava Otávio –, jamais se descobria. No rosto que então surgia, os traços limitados e pobres não tinham beleza própria. Nada restava do antigo mistério senão a cor da pele, creme, sombria, fugitiva. Se os instantes de abandono prolongavam-se e se sucediam, então ele via assustado a feiura, e mais que a feiura, uma espécie de vileza e brutalidade, alguma coisa cega e inapelável dominar o corpo de Joana como numa decomposição. Sim, sim, talvez subisse então à superfície alguma coisa liberta do medo de não amar.

– Sim, eu sei, continuava Joana. A distância que separa os sentimentos das palavras. Já pensei nisso. E o mais curioso é que no momento em que tento falar não só não exprimo o que sinto como o que sinto se transforma lentamente no que eu digo. Ou pelo menos o que me faz agir não é, seguramente, o que eu sinto mas o que eu digo.

Ela falara do velho, falara da gravidez da cadela mal ele a conhecera e de repente, assustado, ele se sentira como depois de uma confissão, como se tivesse dito àquela estranha toda a sua vida. Que vida? A que se debatia dentro dele e que não era nada, repetiu-se com medo de surgir aos próprios olhos como grandioso e cheio de responsabilidades. – Ele nada era, nada era e nada precisava pois fazer, repetia-se, os olhos mentalmente fechados. – Como se tivesse contado a Joana o que não sentia senão no escuro. E o mais surpreendente de tudo: como se ela tivesse escutado e risse depois, perdoando – não como Deus, mas como o diabo –, abrindo-lhe portas largas para a passagem!

Sobretudo no momento em que a tocara, compreendera: o que se seguisse entre eles seria irremediável. Porque quando a abraçara, sentira-a viver subitamente em seus braços como água correndo. E vendo-a tão viva, entendera esmagado e secretamente contente que se ela o quisesse ele nada poderia fazer... No momento em que finalmente a beijara sentira-se ele próprio de repente livre, perdoado além do que ele sabia de si mesmo, perdoado no que estava sob tudo o que ele era...

Daí em diante não havia escolha. Caíra vertiginosamente de Lídia para Joana. Sabendo disso ajudava-se a amá-la. Não era difícil. Uma vez ela se distraíra olhando pelo vidro da janela, lábios soltos, esquecida de si mesma. Ele a chamara e o modo suave e abandonado como ela voltava a cabeça e dissera: hein...?, fizera-o cair dentro de si mesmo, mergulhando numa tonta e escura onda de amor. Otávio voltara então o rosto para o lado, não querendo vê-la.

Poderia amá-la, poderia tomar a nova e incompreensível aventura que ela lhe oferecia. Mas continuava agarrado ao primeiro impulso que o jogara contra ela. Não era como mulher, não era assim, cedida, que ele a queria... Precisava-a fria e segura. Para que ele pudesse dizer como em pequeno, refugiado e quase vitorioso: a culpa não é minha...

Casariam, ver-se-iam minuto por minuto e que ela fosse pior que ele. E forte, para ensinar-lhe a não ter medo. Nem mesmo o medo de não amar... Ele a queria não para fazer sua vida como ela, mas para que ela lhe permitisse viver. Viver sobre si mesmo, sobre seu passado, sobre as pequenas vilezas que cometera covardemente e a que covardemente continuava unido. Otávio pensava que ao lado de Joana poderia continuar a pecar.

Quando Otávio a beijara, segurara-lhe as mãos, apertando-as contra seu seio, Joana mordera os lábios a princípio cheia de raiva porque ainda não sabia com que pensamento vestir aquela sensação violenta, como um grito, que lhe subia do peito até entontecer a cabeça. Olhou-o sem vê-lo, os olhos nublados, o corpo sofredor. Precisavam despedir-se. Afastou-se bruscamente e foi embora sem se voltar para trás, sem saudade.

No quarto, já despida sobre a cama, não conseguia adormecer. Seu corpo pesava-lhe, existia além dela mesma como um estranho. Sentia-o palpitante, aceso. Fechou a luz e os olhos, tentou fugir, dormir. Mas continuou por longas horas a perscrutar-se, a vigiar o sangue que se arrastava grosso pelas suas veias como um animal bêbedo. E a pensar. Como não se conhecia até então. Aquelas formas finas e ligeiras, aquelas linhas delicadas de adolescente. Abriam-se, respiravam sufocadas e cheias de si mesmas até o limite.

De madrugada a viração alisou a cama, acenou as cortinas. Joana foi serenando suavemente. A frescura do fim da noite acariciou-lhe o corpo dolorido. O cansaço tomou-a devagar e de repente exausta entregou-se a um sono profundo.

Acordou tarde e alegre. Cada célula, imaginava, abrira-se florescente. Milagrosamente todas as energias despertas, prontas para lutar. Quando pensava em Otávio, respirava com cuidado como se o ar lhe fizesse mal. Durante os dias que se seguiram não o viu nem procurou vê-lo. Evitava-o mesmo como se sua presença fosse dispensável.

E foi tão corpo que foi puro espírito. Atravessava os acontecimentos e as horas imaterial, esgueirando-se entre eles com a leveza de um instante. Mal se alimentava e seu sono era fino como um véu. Acordava muitas vezes durante a noite, sem susto, preparando-se antes de pensar para sorrir. Adormecia de novo sem mudar de posição, apenas cerrando os olhos. Procurou-se muito no espelho, amando-se sem vaidade. A pele serena, os lábios vivos faziam-na quase tímida voltar as costas para sua imagem, sem força para sustentar seu olhar contra o daquela mulher, fresco e úmido, tão brandamente claro e seguro.

Depois cessou a felicidade.

A plenitude tornou-se dolorosa e pesada e Joana era uma nuvem prestes a chover. Respirava mal como se dentro dela não houvesse lugar para o ar. Caminhou de um lado para outro, perplexa com a mudança. Como? – perguntava-se e sentia que estava sendo ingênua, aquilo tinha dois lados? Sofrer pelo mesmo motivo que a tornara terrivelmente feliz?

Carregou consigo o corpo doente, um ferido incômodo, durante os dias. A leveza fora substituída por miséria e cansaço. Saciada – um animal que matara sua sede inundando seu corpo d'água. Mas ansiosa e infeliz como se apesar de tudo restassem terras ainda não molhadas, áridas e sedentas. Sofreu sobretudo de incompreensão, sozinha, atônita. Até que encostando a testa no vidro da janela –

rua quieta, a tarde caindo, o mundo lá fora –, sentiu o rosto molhado. Chorou livremente, como se esta fosse a solução. As lágrimas corriam grossas, sem que ela contraísse um só músculo da face. Chorou tanto que não soube contar. Sentiu-se depois como se tivesse voltado às suas verdadeiras proporções, miúda, murcha, humilde. Serenamente vazia. Estava pronta.

Procurou-o então. E a nova glória e o novo sofrimento foram mais intensos e de qualidade mais insuportável.

Casou-se.

O amor veio afirmar todas as coisas velhas de cuja existência apenas sabia sem nunca ter aceito e sentido. O mundo rodava sob seus pés, havia dois sexos entre os humanos, um traço ligava a fome à saciedade, o amor dos animais, as águas das chuvas encaminhavam-se para o mar, crianças eram seres a crescer, na terra o broto se tornaria planta. Não poderia mais negar... o quê? – perguntava-se suspensa. O centro luminoso das coisas, a afirmação dormindo embaixo de tudo, a harmonia existente sob o que não entendia.

Erguia-se para uma nova manhã, docemente viva. E sua felicidade era pura como o reflexo do sol na água. Cada acontecimento vibrava em seu corpo como pequenas agulhas de cristal que se espedaçassem. Depois dos momentos curtos e profundos vivia com serenidade durante largo tempo, compreendendo, recebendo, resignando-se a tudo. Parecia-lhe fazer parte do verdadeiro mundo e estranhamente ter-se distanciado dos homens. Apesar de que nesse período conseguia estender-lhes a mão com uma fraternidade de que eles sentiam a fonte viva. Falavam-lhe das próprias dores e ela, embora não ouvisse, não pensasse, não falasse, tinha um olhar bom – brilhante e misterioso como o de uma mulher grávida.

O que sucedia então? Milagrosamente vivia, liberta de todas as lembranças. Todo o passado se esfumaçara. E também o presente eram névoas, as doces e frescas névoas separando-a da realidade sólida, impedindo-a de tocá-la. Se rezasse, se pensasse seria para agradecer ter um corpo feito para o amor. A única verdade tornou-se aquela brandura onde mergulhara. Seu rosto era leve e impreciso, boiando entre os outros rostos opacos e seguros, como se ele ainda não pudesse adquirir apoio em qualquer expressão. Todo o seu corpo e sua alma perdiam os limites, misturavam-se, fundiam-se num só caos, suave e amorfo, lento e de movimentos vagos como matéria simplesmente viva. Era a renovação perfeita, a criação.

E sua ligação com a terra era tão profunda e sua certeza tão firme – de quê? de quê? – que agora podia mentir sem se entregar. Tudo isso deixava-a pensar às vezes:

– Por Deus, quem sabe se não estou fazendo disto mais do que amor?

Aos poucos habituou-se ao novo estado, acostumou-se a respirar, a viver. Aos poucos foi envelhecendo dentro de si, abriu os olhos e novamente era uma estátua, não mais plástica, porém definida. Bem longe renascia a inquietação. À noite, entre os lençóis, um movimento qualquer ou um pensamento inesperado acordava-a para si mesma. Levemente surpreendida dilatava os olhos, percebia seu corpo mergulhado na confortável felicidade. Não sofria, mas onde estava?

– Joana... Joana... – chamava-se ela docemente. E seu corpo mal respondia devagar, baixinho: Joana.

Os dias foram correndo e ela desejava achar-se mais. Chamava-se agora fortemente e não lhe bastava respirar.

A felicidade apagava-a, apagava-a... Já queria sentir-se de novo, mesmo com dor. Mas submergia cada vez mais. Amanhã, adiava, amanhã vou-me ver. O novo dia porém perpassava pela sua superfície, leve como uma tarde de estio, mal franzindo seus nervos.

Só não se habituara a dormir. Dormir era cada noite uma aventura, cair da claridade fácil em que vivia para o mesmo mistério, sombrio e fresco, atravessar a escuridão. Morrer e renascer.

Nunca terei pois uma diretriz, pensava meses depois de casada. Resvalo de uma verdade a outra, sempre esquecida da primeira, sempre insatisfeita. Sua vida era formada de pequenas vidas completas, de círculos inteiros, fechados, que se isolavam uns dos outros. Só que no fim de cada um deles, em vez de Joana morrer e principiar a vida noutro plano, inorgânico ou orgânico inferior, recomeçava-a mesmo no plano humano. Apenas diversas as notas fundamentais. Ou apenas diversas as suplementares e as básicas eternamente iguais?

Era sempre inútil ter sido feliz ou infeliz. E mesmo ter amado. Nenhuma felicidade ou infelicidade tinha sido tão forte que tivesse transformado os elementos de sua matéria, dando-lhe um caminho único, como deve ser o verdadeiro caminho. Continuo sempre me inaugurando, abrindo e fechando círculos de vida, jogando-os de lado, murchos, cheios de passado. Por que tão independentes, por que não se fundem num só bloco, servindo-me de lastro? É que eram demasiado integrais. Momentos tão intensos, vermelhos, condensados neles mesmos que não precisavam de passado nem de futuro para existir. Traziam um conhecimento que não servia como experiência – um conhecimento direto, mais como sensação do que percepção. A verdade então descoberta era tão verdade que não podia subsistir senão no seu recipiente, no próprio fato que a provocara. Tão verdadeira, tão fatal, que vive apenas em função de sua matriz. Uma vez terminado o momento de vida, a verdade correspondente também se esgota. Não posso moldá-la, fazê-la inspirar outros instantes iguais. Nada pois me compromete.

No entanto a justificação de sua curta glória talvez não tivesse outro valor senão o de lhe dar certo prazer de raciocínio, assim como: se uma pedra cai, essa pedra existe, essa pedra caiu de um lugar, essa pedra... Ela errava tanto.

SEGUNDA PARTE

O CASAMENTO

Joana lembrou-se de repente, sem aviso prévio, dela mesma em pé no topo da escadaria. Não sabia se alguma vez estivera no alto de uma escada, olhando para baixo, para muita gente ocupada, vestida de cetim, com grandes leques. Muito provável mesmo que nunca tivesse vivido aquilo. Os leques, por exemplo, não tinham consistência na sua memória. Se queria pensar neles não via na realidade leques porém manchas brilhantes nadando de um lado para outro entre palavras em francês, sussurradas com cuidado por lábios juntos, para frente, assim como um beijo enviado de longe. O leque principiava como leque e terminava com as palavras em francês. Absurdo. Era pois mentira.

Mas apesar de tudo a impressão continuava querendo ir para frente, como se o principal estivesse além da escadaria e dos leques. Parou um instante os movimentos e só os olhos batiam rápidos, à procura da sensação. Ah, sim. Desceu pela escadaria de mármore, sentindo na planta dos pés aquele medo frio de escorregar, nas mãos um suor cálido, na cintura uma fita apertando, puxando-a como um leve guindaste para cima. Depois o cheiro das fazendas novas, o olhar brilhante e curioso de um homem atravessando-a e deixando-lhe, como se tivesse comprimido um botão no escuro, o corpo iluminado. Ela era percorrida por longos músculos inteiros. Qualquer pensamentozinho descia por essas cordas polidas até tremer ali, nos tornozelos, onde a carne era macia como a de um frango.

Parava no último degrau, no largo e sem perigo, pousava levemente a palma da mão sobre o corrimão frio e liso. E sem saber por que sentia uma súbita felicidade, quase dolorosa, um quebranto no coração, como se ele fosse de massa mole e alguém mergulhasse os dedos nele, revolvendo-o maciamente. Por quê? Levantou fragilmente a mão, num gesto de recusa. Não queria saber. Mas agora já lhe surgira a pergunta e como resposta absurda veio-lhe o corrimão refulgente lançado com desenvoltura do alto como uma serpentina envernizada em dia de carnaval. Só que não era carnaval, porque havia silêncio no salão, podia-se ver tudo através dele. Os reflexos úmidos das lâmpadas sobre os espelhos, os broches das damas e as fivelas dos cintos dos homens comunicando-se a intervalos com o lustre, por delgados raios de luz.

Cada vez mais entendia o ambiente. Entre os homens e as mulheres não havia espaços duros, tudo se misturava molemente. De algum aquecedor invisível subia um vapor úmido e emocionante. De novo o coração lhe doeu levemente e ela sorriu, o nariz franzido, a respiração fraca.

Houve uma pequena pausa de repouso. Foi recuperando aos poucos, apesar de seu esforço em contrário, a realidade, novamente o corpo insensível, opaco e forte como uma coisa viva há muito tempo. Enxergou o quarto, as cortinas acenando irônicas, a cama obstinadamente imóvel, inútil. Tentou inquieta transpor-se para o topo da escadaria, descê-la novamente. Enxergou-se caminhando, mas não sentiu mais as pernas trêmulas, nem o suor nas mãos. Então viu que esgotara a lembrança.

Ficou ainda à espera, junto da estante de livros, onde fora buscar... o quê? Franziu a testa sem muito interesse. O quê? Procurou achar engraçada aquela impressão de que no centro da testa existia agora um buraco no lugar de onde tinham extraído a ideia do que fora buscar.

Inclinou-se pela porta e perguntou alto, os olhos fechados:

– Que é que você queria, Otávio?

– O de Direito Público, disse ele e antes que prestasse de novo atenção ao caderno lançou-lhe um rápido olhar surpreso.

Levou-lhe o livro, ausente, os movimentos vagarosos. Ele esperou-o com a mão estendida, sem levantar a cabeça. Demorou um instante com o livro em sua direção, a uma pequena distância dele. Mas Otávio não notou a demora e com um pequeno movimento de ombros ela colocou-o entre seus dedos.

Sentou-se numa cadeira próxima, sem comodidade, como se devesse partir daí a um instante. Aos poucos, nada acontecendo, aproximou o corpo do encosto e abandonou-se, os olhos vazios, sem pensar.

Otávio continuava no Direito Público, demorando-se em alguma linha e depois impaciente mordendo a unha e voltando rápido várias páginas ao mesmo tempo. Até que parava de novo, distraído, a língua passeando pelo bordo dos dentes, uma das mãos puxando com ternura os fios das sobrancelhas. Qualquer palavra imobilizou-o, a mão no ar, a boca aberta como um peixe morto. De repente afastou o livro com um safanão. O olhar brilhante e ganancioso, escreveu depressa no caderno, parando um instante para respirar ruidosamente e, num gesto que a sobressaltou, bater nos dentes com os nós dos dedos.

Que animal, pensou ela. Ele interrompeu o que escrevia e olhou-a aterrorizado, como se ela lhe tivesse jogado alguma coisa. Continuou a fixá-lo sem força e Otávio mexeu-se na cadeira, pensando apenas que não estava sozinho. Sorriu, tímido e importunado, estendeu-lhe a mão por cima da mesa. Ela afastou o corpo da cadeira e ofereceu-lhe por sua vez as pontas dos dedos. Otávio comprimiu-os rapidamente, sorridente, e logo depois, antes mesmo que ela tivesse tempo de recolher o braço, voltou-se furiosamente para o caderno, o rosto quase afundando nele, a mão trabalhando.

Era ele quem estava sentindo agora, pensou Joana. E, de repente, talvez de inveja, sem nenhum pensamento, odiou-o com uma força tão bruta que suas mãos se fecharam sobre os braços da poltrona e seus dentes se cerraram. Palpitou durante alguns instantes, reanimada. Temendo que o marido sentisse seu olhar agudo, obrigasse-a a disfarçá-lo e assim diminuir a intensidade de seu sentimento.

A culpa era dele, pensou friamente, à espreita de nova onda de raiva. A culpa era dele, a culpa era dele. Sua presença, e mais que sua presença: saber que ele existia, deixavam-na sem liberdade. Só raras vezes agora, numa rápida fugida, conseguia sentir. Isso: a culpa era dele. Como não descobrira antes? – perguntou-se vitoriosa. Ele roubava-lhe tudo, tudo. E como a frase ainda fosse fraca, pensou com intensidade, os olhos fechados: tudo! Sentiu-se melhor, pensou com mais nitidez.

Antes dele estava sempre de mãos estendidas e quanto oh quanto não recebia de surpresa! De violenta surpresa, como um raio, de doce surpresa, como uma chuva de pequenas luzes... Agora tinha todo o seu tempo entregue a ele e os minutos que eram seus ela os sentia concedidos, partidos em pequenos cubos de gelo que devia engolir rapidamente, antes que se derretessem. E fustigando-se para andar a galope: olhe, que esse tempo é liberdade! olhe, pense depressa, olhe, encontre-se depressa, olhe... acabou-se! Agora – só mais tarde, de novo a bandeja de cubinhos de gelo e você diante dela fascinada, vendo os pingos d'água já escorrerem.

Depois ele vinha. E ela repousava enfim, com um suspiro, pesadamente. – Mas não queria repousar! – O sangue corria-lhe mais vagarosamente, o ritmo domesticado, como um bicho que adestrou suas passadas para caber dentro da jaula.

Lembrou-se de quando fora buscar – o quê? ah, Direito Público – na estante, do topo da escadaria, uma lembrança tão gratuita, tão livre, até imaginada... Como estava nova então. Água límpida correndo por dentro e por fora. Teve saudades da sensação, necessidade de sentir de novo. Olhou ansiosa de um lado para outro, procurando alguma coisa. Mas tudo ali era como era há muito. Velho. Vou deixá-lo, achou num primeiro pensamento, sem antecedentes. Abriu os olhos, à espreita de si mesma. Sabia que desse pensamento poderiam vir consequências. Pelo menos antigamente, quando suas resoluções não precisavam de grandes fatos, só de uma pequena ideia, de uma visão insignificante, para nascerem. Vou deixá-lo, repetiu-se e dessa vez do pensamento partiam pequenos filamentos prendendo-o a si mesma. D'agora em diante ele estava dentro dela e cada vez mais os filamentos engrossariam até formarem raízes.

Quantas vezes ainda ela se proporia isso, até deixá-lo mesmo? Cansou-se previamente das pequenas lutas que ainda teria, revoltando-se e cedendo em seguida, até o fim. Teve um rápido e impaciente movimento interior que se refletiu apenas num levantar imperceptível da mão. Otávio desviou por um segundo os olhos para ela e continuou como um sonâmbulo a escrever. Como ele era sensível, pensou num intervalo. Continuou seguindo-se: por que adiar? Sim, por que adiar? – perguntou-se. E a indagação era sólida, reclamava uma resposta séria. Ajeitou-se na cadeira, tomou uma atitude de cerimônia, como para ouvir o que tinha a dizer.

Então Otávio suspirou alto, fechou o livro e o caderno com estrépito, jogou-os longe, exagerado, as pernas compridas estiradas para longe da cadeira. Ela olhou-o assustada, ofendida. Então... – começou com ironia. Mas não sabia como continuar e esperou, olhando-o.

Ele disse, um cômico ar severo:

– Muito bem. Agora a senhora faça o favor de se aproximar e encostar a cabeça nesse valoroso peito, porque estou precisando disso.

Ela riu, só para satisfazê-lo. Mas no meio do riso já estava achando um pouco de graça. Continuou sentada, tentando prosseguir: então, ele..., e fazia com os lábios um jeito de desprezo e de vitória, como quem recebe as provas esperadas. Então, ele... Era assim? Esperava que Otávio visse sua atitude, adivinhasse sua resolução de não se mover da cadeira. Ele, no entanto, como sempre, nada adivinhava e justamente nos momentos em que deveria olhar, distraía-se com qualquer coisa. Agora, exatamente agora, lembrara-se de ajeitar o livro e o caderno jogados sobre a mesa. Nem olhava para Joana, estava certo de que ela viria? Riu um mau sorriso, pensando como ele se enganara e quantos pensamentos ela tivera sem que ele pudesse imaginar sequer. Sim, por que adiar?

Ele ergueu os olhos, um pouco surpreso pela demora. E como ela continuasse sentada, ficaram se olhando de longe. Ele estava intrigado.

– Então? – disse sem gosto: Meu valoroso...

Joana interrompeu-o com um gesto, porque não suportava a piedade que a invadira de súbito e a impressão de ridículo da frase, quando ela própria estava tão lúcida e resolvida a falar. Ele não se assustou com o seu movimento e ela teve que engolir a saliva com cuidado para empurrar para dentro de si a estúpida vontade de chorar que principiava a nascer mole dentro do peito.

Agora sua piedade abrangia-a também e ela via os dois juntos, coitados e infantis. Os dois iam morrer, esse mesmo homem que batera com os dedos nos dentes, num movimento tão vivo. Ela mesma, com o topo da escadaria e toda a sua capacidade de querer sentir. As coisas principais assaltavam-na em quaisquer momentos, também nos vazios, enchendo-os de significados. Quantas vezes não dera uma gorjeta exagerada ao garçom só porque se lembrara de que ele ia morrer e não o sabia.

Olhava-o misteriosamente, séria e terna. E agora procurava emocionar-se pensando nos dois futuros mortos.

Encostou a cabeça no seu peito e lá um coração batia. Pensou: mas mesmo assim, apesar da morte, vou deixá-lo um dia. Conhecia bem o pensamento que lhe poderia vir, fortalecendo-a, se antes de deixá-lo se comovesse: "Eu tirei tudo o que poderia ter. Não o odeio, não o desprezo. Por que procurá-lo, mesmo que o ame? Não gosto tanto de mim a ponto de gostar das coisas de que eu gosto. Amo mais o que quero do que a mim mesma." Oh, sabia igualmente que a verdade poderia estar no contrário do que pensara. Abandonou a cabeça, comprimiu a testa na camisa branca de Otávio. Aos poucos, muito de leve, foi-se apagando a ideia de morte e já não encontrava de que rir. Seu coração era maciamente moldado. Com o ouvido ela sabia que o outro, indiferente a tudo, prosseguia nas suas batidas regulares, no seu caminho fatal. O mar.

– Adiar, só adiar, pensou Joana antes de deixar de pensar. Porque os últimos cubos de gelo haviam-se derretido e agora ela era tristemente uma mulher feliz.

O ABRIGO NO PROFESSOR

Joana bem se lembrava: dias antes de casar procurara o professor.

Subitamente precisara encontrá-lo, senti-lo firme e frio antes de ir embora. Porque de algum modo parecia-lhe estar traindo toda a sua vida passada com o casamento. Queria rever o professor, sentir seu apoio. E quando lhe surgiu a ideia de visitá-lo, acalmara-se aliviada.

Ele haveria de lhe dar a palavra justa. Que palavra? Nada, respondia-se misteriosamente, querendo numa repentina vontade de fé e de boa espera guardar-se para ouvi-lo completamente nova, sem ter sequer uma ideia do que ia ganhar. Um dia já lhe sucedera isso: quando pela primeira vez se preparava para o circo, em pequena. Teve os melhores momentos aprontando-se para ele. E quando se aproximou do largo campo onde branquejava o barracão redondo e imenso, como uma dessas cúpulas que escondem até certo instante o melhor prato da mesa, quando se aproximou na mão da criada, sentiu o medo e a angústia e a alegria trêmula no coração, queria voltar, fugir. No momento em que a criada lhe disse: seu pai deu dinheiro para pipocas, então Joana olhou estupefacta para as coisas, sob a tarde cheia de sol, como se elas estivessem loucas.

Sabia que o professor adoecera, que fora abandonado pela mulher. Mas apesar de envelhecido, encontrara-o mais gordo, o olhar brilhante. Também temera a princípio que a última cena em comum, quando fugira assustada para a puberdade, dificultasse a visita, deixasse-os em mal-estar, naquela mesma sala estranha e sonsa onde agora a poeira vencera o brilho.

O professor recebera-a com ar sereno e distraído. Com as olheiras escuras parecia uma fotografia antiga. Fazia perguntas a Joana e mal ela iniciava a resposta ele deixava de ouvir, como enfim desobrigado. Várias vezes se interrompia, a atenção voltada para o relógio e para a mesinha dos remédios. Ela olhava ao redor e a meia escuridão era úmida e ofegante. O professor parecia um grande gato castrado reinando num porão.

– Agora pode abrir as janelas, dissera ele. Você sabe, um pouco de escuridão e depois bastante ar; todo o organismo se beneficia, recebe vida. É como uma criança malcuidada. Quando recebe tudo, de repente reage, refloresce, mais do que as outras, às vezes.

Joana escancarara as janelas e as portas e o ar frio entrara numa rajada triunfante. Um pouco de sol vinha pela porta atrás dele. O professor alargara a gola do pijama, expusera-se ao vento.

– É assim, declarara.

Olhando-o Joana descobria que ele era apenas um velho gordo ao sol, os ralos cabelos sem resistir à brisa, o grande corpo largado sobre a cadeira. E o sorriso, meu Deus, um sorriso.

Quando haviam soado três horas, repentinamente agitara-se, parara no meio da frase e, os gestos medidos, o rosto ávido e grave, contara vinte gotas dum frasco para um cálice de água. Levantara-o à altura dos olhos, observando-o, os lábios apertados, inteiramente absorvido. Bebera o líquido escuro sem medo, fitando depois o cálice com uma careta amarga e um semissorriso que ela não soubera explicar. Colocara-o sobre a mesa, batera palmas chamando o criado, um moleque magro e distraído. Esperara pela sua volta em silêncio, o olhar atento como se procurasse ouvir de longe. Só quando recebera o copinho lavado, após bem examiná-lo e emborcá-lo sobre um pires, tivera um leve suspiro:

– Bem, de que estávamos falando?

Ela continuava sem atentar às próprias palavras, observando-o. Nenhum traço no rosto do homem marcava o abandono de sua mulher. Fugitivamente revia aquela figura quase sempre muda, de rosto impassível e soberano, que ela temera e odiara. E, apesar da repulsa que a outra ainda lhe inspirava, numa reminiscência, Joana descobrira surpresa que não só então, mas talvez sempre, se sentira unida a ela, como se ambas tivessem algo secreto e mau em comum.

Nada na fisionomia dele denunciava a partida da esposa. Havia mesmo em sua atitude e em seu olhar uma tranquilidade como que finalmente adquirida, um repouso que Joana nunca lhe tinha notado antes. Perscrutava-o quase angustiada como as águas engrossadas pela chuva e cuja profundidade fosse agora impossível de avaliar. Viera ouvi-lo, sentir sua lucidez como um ponto fixo!

– A tortura de um homem forte é maior que a de um doente –, experimentara fazê-lo falar.

Ele mal erguera os olhos. Sua frase flutuava no ar, tola e tímida. Vou continuar, é exatamente de minha natureza nunca me sentir ridícula, eu me aventuro sempre, entro em todos os palcos. Otávio, pelo contrário, com uma estética tão frágil que basta um riso mais agudo para quebrá-la e torná-la miserável. Ele me ouviria agora inquieto ou senão sorrindo. Otávio já estava pensando dentro dela? ela já se transformara numa mulher que ouve e espera o homem? Estava cedendo alguma coisa... Queria salvar-se, ouvir o professor, sacudi-lo. Então esse velho que estava à sua frente não se lembrava de tudo o que lhe dissera? "Pecar contra si mesma..."

– O doente imagina o mundo e o são o possui, continuara Joana. O doente pensa que não pode apenas pela sua doença e o forte sente inútil sua força.

Sim, sim, ele balançava a cabeça, tímido. Ela percebia que seu mal-estar era somente o de alguém que não deseja ser interrompido. Continuara porém até o fim, a voz morta repetindo o pensamento que tivera há muito.

– Por isso a poesia dos poetas que sofreram é doce, terna. E a dos outros, dos que de nada foram privados, é ardente, sofredora e rebelde.

– Sim – dizia ele ajeitando a gola frouxa do pijama.

Ela via humilhada e perplexa seu pescoço escuro, enrugado. Sim, dizia ele de quando em quando sem que sua atenção, procurando um apoio, se desviasse do relógio. Como dizer-lhe que ia casar?

Às quatro horas novamente repetira-se o ritual. Dessa vez o moleque desviara o corpo para não receber um pontapé, porque quase deixara cair o vidro de remédio. Com a tentativa frustrada, o chinelo do professor voara longe e seu pé de unhas recurvas e amareladas surgira nu. O menino apanhara o chinelo e jogara-o até Joana, rindo, com medo de se aproximar. Depois do cálice guardado, ela aventurara a primeira palavra sobre sua doença, devagar, envergonhada, porque nunca antes haviam eles penetrado na intimidade dos próprios casos, sempre se haviam entendido fora deles mesmos.

Não seria preciso tentar maior aproximação... Ele tomara a direção do assunto, alisara-o lentamente, com vagar e volúpia explicava-lhe todos os detalhes. O ar um pouco benevolente e misterioso a princípio, achando impossível que ela entrasse no seu mundo. Mas depois de uns instantes, esquecido de sua presença, docemente empolgado, já falava abertamente.

– O médico disse que ainda não estou melhor. Mas vou ficar bom, eu sei mais do que todos os médicos, acrescentara. Pois se sou eu o doente...

Ela descobrira finalmente, assombrada, que ele era feliz...

Aproximavam-se as cinco horas. Sentia que ele ansiava por sua partida. Mas não o deixaria assim, ainda tentou empurrar-se. Olhara-o bem nos olhos, cruelmente. Ele lhe retribuíra um olhar morno e indiferente de início e logo em seguida furtara-se com raiva, importunado.

A PEQUENA FAMÍLIA

ntes de começar a escrever, Otávio ordenava os papéis sobre a mesa minuciosamente, ajeitava a roupa em si mesmo. Gostava dos pequenos gestos e dos velhos hábitos, como vestes gastas, onde se movia com seriedade e segurança. Desde estudante assim se preparava para um trabalho. Depois de instalar-se junto à mesa, arrumava-a e, a consciência avivada pela noção das coisas ao redor –, não me perder em grandes ideias, sou também uma coisa – deixava a pena correr um pouco livremente para libertar-se de alguma imagem ou reflexão obsedante que porventura quisesse acompanhá-lo e impedir a marcha do pensamento principal.

Por isso trabalhar diante dos outros era um suplício. Receava o ridículo dos pequenos rituais e sem eles não podia passar, apoiavam tanto como uma superstição. Do mesmo modo como para viver cercava-se de permitidos e tabus, das fórmulas e das concessões. Tudo tornava-se mais fácil, como ensinado. O que fascinava e amedrontava em Joana era exatamente a liberdade em que ela vivia, amando repentinamente certas coisas ou, em relação a outras, cega, sem usá-las sequer. Pois ele se via obrigado diante do que existia. Bem dissera Joana que ele precisava ser possuído por alguém... Você pega no dinheiro com uma intimidade... – brincara Joana uma vez enquanto ele pagava uma conta num restaurante e de tal modo ela o encontrava distraído e assustara-o que, diante do garçom, irônico certamente, as notas e as moedas escorregaram-lhe das mãos e espalharam-se aos seus pés. Embora não se seguisse nenhuma frase irônica – bem, justiça lhe seja feita, Joana não ri – ainda guardava um argumento pronto desde então: mas o que fazer com o dinheiro senão guardá-lo para gastá-lo? Irritava-se, envergonhado. Sentia que o argumento não respondia a Joana.

A verdade é que se não tivesse dinheiro, se não possuísse os "estabelecidos", se não amasse a ordem, se não existisse a Revista de Direito, o vago plano do livro de civil, se Lídia não estivesse dividida de Joana, se Joana não fosse mulher e ele homem, se... oh, Deus, se tudo... que faria? Não, não "que faria", mas a quem se dirigiria, como se moveria? Impossível deslizar por entre os blocos, sem vê-los, sem deles necessitar...

Contrariando a regra de trabalho – uma concessão –, pegou no papel e no lápis mesmo antes de estar inteiramente preparado. Mas desculpou-se, não queria perder aquela nota, talvez lhe servisse um dia: "É necessário certo grau de cegueira para poder enxergar determinadas coisas. É essa talvez a marca do artista. Qualquer homem pode saber mais do que ele e raciocinar com segurança, segundo a verdade. Mas exatamente aquelas coisas escapam à luz acesa. Na escuridão tornam-se fosforescentes." – Pensou um pouco. Depois, apesar da concessão prolongar-se demais, anotou: "Não é o grau que separa a inteligência do gênio, mas a qualidade. O gênio não é tanto uma questão de poder intelectivo, mas da forma por que se apresenta esse poder. Pode-se assim ser facilmente mais inteligente que um gênio. Mas o gênio é ele. Infantil esse 'o gênio é ele'. Ver em relação a Spinoza, se se pode aplicar a descoberta." – Era dele mesmo? Toda a ideia que lhe surgia, porque se familiarizava com ela em segundos, vinha com o temor de tê-la roubado.

Bem, agora a ordem. Lápis largado, recomendou-se, libertar-me das obsessões. Um, dois, três! Lamento muito sofrer como sofro entre os bambus do noroeste desta cidade, começou. Faço o que quero – continuou –, e ninguém me obriga a escrever a Divina Comédia. Não há outra maneira de ser senão a que é, o resto é bordado inútil e tão incômodo como aquele, em relevo, com anjos e flores, com que prima Isabel enfeitava meus travesseiros. Quando eu estava distraído e ela vinha, como uma nuvem roxa e idiota, qual o meu pensamento, diga qual, qual, mais quatro vezes qual, qual, qual, qual. Assim, assim, não fuja: "o quê? ainda estás viva? ainda não morreste?" Sim, sim, foi isso, não fugir de mim, não fugir de minha letra, como é leve e horrível, teia de aranha, não fugir de meus defeitos, meus defeitos, eu vos adoro, minhas qualidades são tão pequenas, iguais às dos outros homens, meus defeitos, meu lado negativo é belo e côncavo como um abismo. O que não sou deixaria um buraco enorme na terra. Eu não agasalho meus erros, enquanto Joana não erra, eis a diferença. Hein, hein, diga alguma coisa, rapaz. As mulheres olham para mim, as mulheres, as mulheres, minha boca, deixo crescer de novo o bigode, elas morrem de alegria e grande amor, cheio de ameixas e passas. Eu compro todas elas sem dinheiro, dinheiro guardo, se uma escorrega numa casca lá na rua, nada há a fazer senão ter vergonha. Nada se perde, nada se cria. O homem que sentisse isso, quer dizer, não apenas compreendesse, mas adorasse, seria tão feliz como o que acredita realmente em Deus. No começo dói um pouco, mas depois a gente se acostuma. Quem escreve esta página nasceu um dia. Agora são exatamente sete e pouco da manhã. Há névoas lá fora, além da janela, da Janela Aberta, o grande símbolo. Joana diria: eu me sinto tão dentro do mundo que me parece não estar pensando, mas usando de uma nova modalidade de respirar. Adeus. Isso é o mundo, eu sou eu, está chovendo no mundo, é mentira, eu sou um trabalhador intelectual, Joana dorme no quarto, alguém deve estar acordando agora, Joana diria: outro morrendo, outro ouvindo música, alguém entrou num banheiro, isto é o mundo. Vou comover todos, chamá-los para se enternecerem comigo. Vivo com uma mulher nua e fria, não fugir, não fugir, que me olha bem nos olhos, não fugir, que me espia, mentira, mentira, mas é verdade. Agora está deitada dormindo, dorme vencida pelo sono, vencida, vencida. É um pássaro fino numa camisola branca. Vou comover todos, não agasalho meus erros, mas que todos me agasalhem.

Endireitou o busto, alisou o cabelo, ficou sério. Agora ia trabalhar. Como se todos assistissem e aprovassem com a cabeça, cerrando os olhos no assentimento: isso, isso mesmo, muito bem. Alguém real incomodava-o e sozinho ficava solto, nervoso. "Todos" pois assistiam-no. Tossiu ligeiramente. Afastou o tinteiro com cuidado. Começou. "A tragédia moderna é a procura vã de adaptação do homem ao estado de coisas que ele criou."

Distanciou-se um pouco, olhou o caderno, endireitou o pijama. "De tal modo a imaginação é a base do homem

– Joana de novo – que todo o mundo que ele tem construído encontra sua justificativa na beleza da criação e não na sua utilidade, não em ser o resultado de um plano de fins adequados às necessidades. Por isso é que vemos multiplicarem-se os remédios destinados a unir o homem às ideias e instituições existentes – a educação, por exemplo, tão difícil – e vemo-lo continuar sempre fora do mundo que ele construiu. O homem levanta casas para olhar e não para nelas morar. Porque tudo segue o caminho da inspiração. O determinismo não é um determinismo de fins, mas um estreito determinismo de causas. Brincar, inventar, seguir a formiga até seu formigueiro, misturar água com cal para ver o resultado, eis o que se faz quando se é pequeno e quando se é grande. É erro considerar que chegamos a um alto grau de pragmatismo e materialismo. Na verdade o pragmatismo – o plano orientado para um dado fim real – seria a compreensão, a estabilidade, a felicidade, a maior vitória de adaptação que o homem conseguisse. No entanto fazer as coisas 'para quê' parece-me, perante a realidade, uma perfeição impossível de exigir do homem. O início de toda sua construção é 'porquê'. A curiosidade, o devaneio, a imaginação – eis o que formou o mundo moderno. Seguindo a inspiração, misturou ingredientes, criou combinações. Sua tragédia: ter que se alimentar com elas. Confiou em que pudesse imaginar numa vida e encontrar-se noutra, à parte. De fato essa outra continua, mas sua purificação sobre o imaginado age lentamente e um homem só não encontra o pensamento tonto de um lado e a paz da vida verdadeira noutro. Não se pode pensar impunemente." Joana pensava sem medo e sem castigo. Teria a loucura por fim ou o quê? Não podia adivinhar. Talvez sofrimento apenas.

Parou, releu. Não sair desse mundo, pensou com certo ardor. Não ter que enfrentar o resto. Só pensar, só pensar e ir escrevendo. Que exigissem dele artigos sobre Spinoza, mas que não fosse obrigado a advogar, a olhar e a lidar com aquelas pessoas afrontosamente humanas, desfilando, expondo-se sem vergonha.

Releu as anotações sobre a leitura anterior. – O cientista puro deixa de crer no que gosta, mas não pode impedir-se de gostar do que crê. A necessidade de gostar: marca do homem. – Não esquecer: "o amor intelectual de Deus" é o verdadeiro conhecimento e exclui qualquer misticismo ou adoração. – Muitas respostas encontram-se em afirmações de Spinoza. Na ideia por exemplo de que não pode haver pensamento sem extensão (modalidade de Deus) e vice-versa, não está afirmada a mortalidade da alma? É claro: mortalidade como alma distinta e raciocinante, impossibilidade clara da forma pura dos anjos de S. Tomaz. Mortalidade em relação ao humano. Imortalidade pela transformação na natureza. – Dentro do mundo não há lugar para outras criações. Há apenas oportunidade de reintegração e continuação. Tudo o que poderia existir, já existe. Nada mais pode ser criado senão revelado. – Se, quanto mais evoluído o homem, mais procura sintetizar, abstrair e estabelecer princípios e leis para sua vida, como poderia Deus – em qualquer acepção, mesmo na do Deus consciente das religiões – não ter leis absolutas pela sua própria perfeição? Um Deus dotado de livre-arbítrio é menor que um Deus de uma só lei. Do mesmo modo por que tanto mais verdadeiro é um conceito quanto ele é um só e não precisa transformar-se diante de cada caso particular. A perfeição de Deus prova-se mais na impossibilidade do milagre do que na sua possibilidade. Fazer milagres, para um Deus humanizado das religiões, é ser injusto – milhares de pessoas precisam igualmente e ao mesmo tempo desse milagre – ou reconhecer um erro, corrigindo-o – o que, mais do que uma bondade ou "prova de caráter", significa ter errado. – Nem o entendimento nem a vontade pertencem à natureza de Deus, diz Spinoza. Isso me faz mais feliz e me deixa mais livre. Porque a ideia da existência de um Deus consciente nos torna horrivelmente insatisfeitos.

No topo do estudo colocaria *in litteris* Spinoza traduzido: "Os corpos se distinguem uns dos outros em relação ao movimento e ao repouso, à velocidade e à lentidão e não em relação à substância." Mostrara a frase a Joana. Por quê? Encolheu os ombros, sem procurar mais fundo a explicação. Ela se mostrara curiosa, quisera ler o livro.

Otávio estendeu a mão e tomou-o. Uma folha de caderno intercalava suas páginas. Olhou-a e descobriu a letra incerta de Joana. Inclinou-se com avidez. "A beleza das palavras: natureza abstrata de Deus. É como ouvir Bach." Por que preferia que ela não tivesse escrito essa frase? Joana sempre o encontrava desprevenido. Ele se envergonhava como se ela estivesse claramente mentindo e ele fosse obrigado a enganá-la, dizendo-lhe que acreditava nela...

Ler o que ela escrevera foi como estar diante de Joana. Evocou-a e, furtando-se aos seus olhos, viu-a nos seus momentos de distração, o rosto branco, vago e leve. E de repente grande melancolia desceu sobre ele. Que estou fazendo afinal? – perguntou-se e nem sabia por que se agredira tão subitamente. Não, não escrever hoje. E como essa era uma concessão, uma ordem indiscutível – perscrutou-se: se quisesse sinceramente poderia trabalhar? e a resposta foi resoluta: não – e uma vez que a decisão era mais poderosa que ele, sentiu-se quase alegre. Hoje alguém lhe dava o descanso. Não Deus. Não Deus, mas alguém. Muito forte.

Levantar-se-ia, arrumaria os papéis, guardaria o livro, vestiria uma roupa quente, iria ver Lídia. O conforto da Ordem. Como seria recebido por Lídia? Diante da janela aberta, olhando as crianças caminharem para a escola, viu-se a segurar seus ombros, subitamente em cólera, talvez um pouco forçada, em face daquela mesma pergunta: que estou fazendo afinal?

– Você não tem medo? – gritara-lhe.

Lídia continuara igual.

– Você não tem medo de seu futuro, de nosso futuro, de mim? Não sabe que... que... sendo apenas minha amante... só tem lugar ao meu lado?

Ela balançara a cabeça surpreendida, chorosa:

– Mas não...

Ele sacudira-a, longinquamente envergonhado de mostrar tanta força, quando junto de Joana, por exemplo, calava-se.

– Não tem medo de que eu deixe você? Não sabe que se eu deixar você, você será uma mulher sem marido, sem nada... Um pobre-diabo... que um dia foi abandonada pelo noivo e que se tornou amante desse noivo enquanto ele casava com outra...

– Não quero que você me deixe...

– Ah...

– ... mas não tenho medo...

Olhara-a espantado. Estava emagrecendo, notou. Mas o aspecto saudável ainda. Apesar de tudo mais nervosa, facilidade para chorar, para comover-se. De repente pusera-se a rir.

– Não sei de que você é feita, juro.

Lídia rira também, contente de que tudo estivesse acabado. Ele se intimidara com seu olhar radiante, puxara-a para si a fim de não ver seus olhos. E permaneceram um instante abraçados, cheios de desejos diferentes.

E agora? Lídia o receberia como sempre. Escreveu um bilhete a Joana, avisando-lhe que não almoçaria em casa. Pobre Joana..., poderia ele dizer se quisesse. Jamais saberia. Tão íntegra na sua altivez ignorante... Mas ele ferozmente a pouparia, ria ele, o coração batendo. Bem, amanhã escreveria algo definitivo sobre o artigo.

Olhou-se ao espelho antes de sair, de olhos entrefechados observou o rosto bem-feito, o nariz reto, os lábios redondos e carnudos. Mas afinal de nada tenho culpa, disse. Nem de ter nascido. E de repente não compreendeu como pudera acreditar em responsabilidade, sentir aquele peso constante, todas as horas. Ele era livre... Como tudo se simplificava às vezes...

Saiu à rua, escolheu demoradamente um saco de bombons. Terminou comprando um, bastante grande, de damasco. Quando dobrasse a esquina, chuparia o primeiro bombom, as mãos nos bolsos. Seus olhos se enterneceram pensando nisso. Por que não? – perguntou-se de repente irritado. Quem disse que os grandes homens não comem bombons? Só que nas biografias ninguém se lembra de contar isso. Se Joana soubesse desse seu pensamento? Não, na verdade nunca mostrou ironia para... Teve um movimento de raiva, apressou o passo.

Antes de dobrar a esquina, pegou o saco de bombons e despejou-os na sarjeta. Angustiado, viu-os misturarem-se à lama, rolarem até um vão escuro cortado de teias de aranha.

Continuou o caminho mais devagar, encolhido. Fazia um pouco de frio. Agora alguém deveria estar satisfeito, pensou longinquamente. Como um castigo, uma confissão.

– Mesmo os grandes homens só são verdadeiramente reconhecidos e homenageados depois de mortos. Por quê?

Porque os que elogiam precisam se sentir de algum modo superiores ao elogiado, precisam conceder. Depois que... nasce uma superioridade evidente... quem elogia... conseguiu se manter... há mesmo certa condescendência... saiu... piedade..., dizia-lhe Otávio.

Lídia observava-o num de seus momentos feios. Os lábios adelgaçados, a testa enrugada, o olhar estúpido – Otávio pensava. E amava-o neste instante. Sua feiura não a excitava, não lhe causava pena. Simplesmente ligava-se mais a ele e com maior alegria. Alegria de aceitar inteiramente, de sentir que unia o que havia de verdadeiro e primitivo em si a alguém, independente de qualquer das ideias recebidas sobre beleza. Lembrava-se das antigas colegas – daquelas meninas sempre vivas, sabendo tudo, tendo ligação com cinemas, livros, namoros, roupas, daquelas moças de quem nunca pudera aproximar-se de verdade, calada como era, sem ter propriamente o que dizer. Lembrava-se delas e sabia que haveriam de achar Otávio feio naquele instante. Pois aceitava-o tanto que desejá-lo-ia pior para provar ainda mais seu amor sem luta.

Olhava-o sem prestar atenção às suas palavras. Era doce e bom saber que entre ambos havia segredos tecendo uma vida fina e leve sobre a outra vida, a real. Ninguém adivinharia jamais que Otávio a beijara nas pálpebras uma vez, que ele sentira nos lábios os seus cílios e que sorrira por isso. E milagrosamente ela compreendera tudo sem que falassem. Ninguém saberia que um dia tinham se querido tanto que haviam permanecido mudos, sérios, parados. Dentro de cada um deles acumulavam-se conhecimentos nunca devassados por estranhos. Ele fora embora um dia. Mas não importava tanto. Ela sabia que entre os dois havia "segredos", que ambos eram irremediavelmente cúmplices. Se fosse embora, se amasse outra mulher, iria embora e amaria outra mulher para participar-lhe depois, mesmo que nada lhe contasse. Lídia tomaria parte na sua vida de qualquer modo. Certas coisas não acontecem sem consequência, pensava olhando-o. Depois que se fuja – e nunca se estará livre... Uma vez ia caindo, ele amparou-a, endireitou seu cabelo num gesto distraído. Ela agradeceu-lhe com uma ligeira pressão no braço. Olharam-se com um sorriso e de repente sentiram-se ofuscantemente felizes... Puseram-se a andar mais depressa, os olhos abertos, deslumbrados.

Talvez ele não se lembrasse disso particularmente. Ela é quem tinha memória para aquelas coisas. Verdade é que a qualidade desses acontecimentos era tal, que não se podia rememorá-los falando. Nem mesmo pensando com palavras. Só parando um instante e sentindo de novo. Que ele esquecesse. Na sua alma, porém, restaria certamente qualquer marca, clara, cor-de-rosa, anotando a sensação e aquela tarde. Quanto a ela – cada dia que chegava trazia-lhe nas suas águas mais lembranças de que se alimentar. E aos poucos uma certeza de felicidade, de fim alcançado, subia-lhe vagarosa pelo corpo, deixando-a satisfeita, quase saciada, quase angustiada. Quando revia Otávio olhava-o agora sem grande emoção, achando-o inferior ao que ele lhe dera. Desejava falar-lhe de sua alegria. Mas vagamente temia feri-lo, como se lhe contasse uma traição com outro homem. Ou como se quisesse escancarar-lhe sua felicidade – a ele que se dividia entre duas casas e duas mulheres –, mostrá-la superior à sua.

Sim, pensava longinquamente, fitando-o – há coisas indestrutíveis que acompanham o corpo até a morte como se tivessem nascido com ele. E uma delas é o que se criou entre um homem e uma mulher que viveram juntos certos momentos.

E quando seu filho nascesse – alisou o ventre que já
se arredondava – eles três seriam uma pequena família.
Pensou em palavras: uma pequena família. Era isso o que
desejava. Como um bom fim para toda a sua história. Otá-
vio e ela haviam sido criados juntos, pela prima comum.
Vivera perto de Otávio. Ninguém passara por sua vida se-
não ele. Nele descobrira o homem, antes de saber sobre
homens e mulheres. Sem raciocínios, confusamente, re-
unia a espécie em Otávio. Vivia-o tanto que nunca sen-
tira os outros senão como mundos fechados, estranhos,
superficiais. Sempre, em todas as suas fases, perto dele.
Mesmo naquele período em que se tornara sonsa, escon-
dendo tudo o que podia, até o que não havia necessidade
de esconder. Mesmo no outro, em que a olhavam nas ruas,
as colegas aceitavam-na admirando seus cabelos grossos e
bonitos, Otávio seguindo-a com os olhos... aquela certeza,
nunca mais apagada, de que era alguém... Foi quando com-
preendeu que não era pobre, que tinha o que dar a Otá-
vio, que havia um modo de entregar-lhe sua vida, tudo o
que ela fora... Esperara-o. Quando o alcançara, Joana viera
e ele fugira. Continuou esperando. Ele voltara. Um filho
nasceria. Sim, mas antes que nascesse ela reclamaria seus
direitos. "Reclamar seus direitos" parecia-lhe uma frase
que dormia desde sempre dentro dela, à espera. À espera
de que ela tivesse força. Queria que a criança brotasse en-
tre os pais. E no fundo disso tudo, desejava para si mesma
"a pequena família".

Sorriu levemente, ouvindo Otávio discorrer sobre
qualquer coisa de que ela nem sabia o começo. Desde que
o feto começara a se formar dentro de si, perdera certos
trejeitos, ganhara outros, ousava avançar em certos pensa-
mentos. Parecia-lhe que até então vivera mentindo. Seus

movimentos eram mais libertos do corpo, como se agora houvesse mais espaço no mundo para o seu ser. Havia de cuidar da criança e de Otávio, ora se havia... Recostou-se melhor na poltrona, o bordado escorregou para o tapete. Entrecerrou os olhos e o ventre assim crescia, farto, brilhante. Abandonou-se ao bem-estar, certa preguiça que a dominava agora frequentemente. Não tivera o menor enjoo, nem no princípio. E sabia que seu parto seria simples, simples como tudo. Pousou a mão sobre os flancos ainda não deformados. De algum modo desprezava bastante as outras mulheres.

Otávio surpreendeu sua expressão, assustado. Uma crueldade distraída... Perscrutou-a, sem conseguir decifrá-la, compreendendo apenas que estava excluído daquele semissorriso. Porque era um sorriso, um sorriso horrível, satisfeito, apesar dela conservar o rosto sério, os olhos abertos, olhando para diante. O temor assaltou-o, quase gritou:

– Você nem estava ouvindo!

Lídia afastou o corpo da cadeira com um sobressalto, novamente dele, novamente entregue:

– Eu...

– Nem ao menos me compreendeu, repetiu fitando-a, a respiração opressa. A cena da última vez se repetiria? Não, havia um filho dentro dela. Por que terei eu um filho? Por que eu? Exatamente eu? É estranho... Perguntar-se-ia daí a um instante: o que estou fazendo afinal? Não, não...

– Mas eu faço mais do que te compreender, disse ela apressada, eu te amo...

Ele suspirou imperceptivelmente, ainda com um pouco do susto que lhe provocara a fuga da mulher. Verdade é que ela não voltava mais inteiramente, como antes da gravidez. E ele mesmo lhe dera o reinado, o tolo... Sim, mas quando ela se libertasse da criança, quando ela se libertasse da criança... Poucos minutos depois, já serenado, Otávio se deixava invadir pelo abandono e pela moleza que tão bem sustentavam suas relações com Lídia.

O ENCONTRO DE OTÁVIO

noite densa e escura foi cortada ao meio, separada em dois blocos negros de sono. Onde estava? Entre os dois pedaços, vendo-os – o que já dormira e o que ainda iria dormir –, isolada no sem-tempo e no sem-espaço, num intervalo vazio. Esse trecho seria descontado de seus anos de vida.

O teto e as paredes uniam-se sem arestas, caladas, de braços cruzados, e ela estava dentro de um casulo. Joana espiou-o sem pensamentos, sem emoção, uma coisa olhando para outra coisa. Aos poucos, de um movimento com a perna, nasceu-lhe longinquamente a consciência misturada a um gosto de sono na boca, estirando-se depois por todo o corpo. O luar empalidecia o quarto, a cama. Um momento, mais um momento, mais um momento, mais um momento. De repente, como um pequeno raio, alguma coisa acendeu dentro dela, disse rapidamente sem mover um só músculo do rosto: olhe para o lado. Continuou fixando o teto, aparentemente sem ligar sequer, mas o coração batendo assustado. Olhe para o lado. Adivinhava que terminaria olhando, vagamente sabia o que havia ao lado, mas agia como se não pretendesse olhar. Como se ignorasse o resto da cama. Olhe para o lado. Então vencida, diante de uma multidão de caras assistindo à cena lá do palco, voltou lentamente a cabeça sobre o travesseiro e espiou. Lá estava um homem. Compreendeu que esperara exatamente isto.

O peito nu, os braços abertos, crucificado. Ajeitou a cabeça na posição antiga. Bem, já espiei. Mas logo em seguida levantou o corpo e apoiada sobre o próprio cotovelo fitou-o, talvez sem curiosidade, porém exigente, esperando uma resposta. Ou atendendo a que as caras impassíveis aguardavam esse gesto? Lá estava um homem. Quem era? A pergunta nasceu leve, já perdida, ia carregada como uma pobre folha pelas ondas escuras. Mas antes que Joana pudesse esquecê-la inteiramente, viu-a crescer de importância, apresentar-se como nova e urgente, a voz debruçada sobre ela: quem era?

Impacientou-se, cansada da insistência da multidão de faces que, em lugar de brinquedo a dirigir, agora exigia, agora exigia. Quem era? Um homem, um macho, respondeu. Mas seu homem, aquele estranho. Olhou-o no rosto, um rosto cansado de criança dormindo. Os lábios entreabertos. As pupilas, sob as grossas pálpebras descidas, voltadas para dentro, mortas. Tocou-o no ombro de leve e antes mesmo que recebesse alguma impressão, recuou rápida, assustada. Parou um pouco sentindo o próprio coração ressoar no peito. Ajeitou a camisola, dando-se tempo para recuar se ainda quisesse. Porém continuou. Aproximou seu braço claro do braço nu daquela criatura e, embora já previsse o pensamento que se seguiu, estremeceu tocada pela diferença violenta de cor, tão firme e audaciosa como um grito. Havia dois corpos limitados sobre a cama. E dessa vez não podia queixar-se de se conduzir consciente à tragédia: o pensamento impusera-se sem que ela o tivesse escolhido. E se ele acordasse e a surpreendesse inclinada sobre ele? Se abrisse os olhos subitamente, estes se encontrariam tão de frente com os seus, as duas luzes cruzando-se com as outras duas luzes... Retirou-se depressa, encolheu-se dentro de si mesma, cheia de medo, daquele temor inconfessado das antigas noites sem chuva, na escuridão sem sono. Quantas vezes terei que viver as mesmas coisas em situações diversas? Imaginou aqueles olhos como duas placas de cobre, brilhando sem expressão. Que voz poderia sair daquela garganta adormecida? Sons como setas grossas cravando-se nos móveis, nas paredes, nela própria maciamente. E todos também de braços cruzados, olhar varando o espaço longe. Implacavelmente. Badaladas de relógio só terminam quando terminam, nada há a fazer. Ou joga-se uma pedra em cima, e depois do barulho de vidros e molas quebradas, o silêncio derramando-se de dentro como sangue. Por que não matar o homem? Tolice, esse pensamento era inteiramente forjado. Olhou-o. Medo de que "aquilo" tudo, como ao aperto de um botão – bastaria tocá-lo – começasse a funcionar ruidosa, mecanicamente, enchendo o quarto de movimentos e de sons, vivendo. Teve medo do próprio medo, que a deixava isolada. Enxergou de longe, do alto da lâmpada apagada, a si mesma, perdida e miúda, coberta de luas, junto do homem que podia viver a qualquer momento.

E subitamente, traiçoeiramente, teve um medo real, tão vivo como as coisas vivas. O desconhecido que havia naquele animal que era seu, naquele homem que ela só soubera amar! Medo no corpo, medo no sangue! Talvez ele a estrangulasse, a assassinasse... Por que não? – assustou-se – a audácia com que seu próprio pensamento avançava, guiando-a como uma luzinha móvel e trêmula através do escuro. Para onde ia? Mas por que Otávio não a estrangularia? Não estavam sós? E se ele estivesse louco sob o sono? – Estremeceu. Teve um movimento involuntário com as pernas, afastou os lençóis, pronta para se defender, para fugir... Ah, se gritasse não teria medo, o medo fugiria com o grito... Otávio respondeu ao seu movimento erguendo por sua vez as sobrancelhas, apertando os lábios, abrindo-os de novo e continuando morto! Ela olhava-o, olhava-o... esperava...

Não, não era perigoso. Passou as costas da mão pela testa. Havia ainda o silêncio, o mesmo silêncio.

Talvez, quem sabe, tivesse vivido um pouco de sonho misturado com a realidade, pensou. Procurou rememorar o dia passado. Nada de importante, senão o bilhete de Otávio avisando que almoçaria fora, como vinha acontecendo quase regularmente, há tempos. Ou o medo fora mais do que uma alucinação? O quarto era agora nítido e frio. Repousou de olhos cerrados. Felizmente eram raras as noites de pesadelo.

Que tola tinha sido. Aproximou a mão, tentou tocá-lo. Deixou a palma estirada sobre o seu peito, a princípio de leve, quase flutuante, mas vencendo-se aos poucos. Depois, de momento a momento mais confiante, abandonou-a inteiramente sobre aquele largo campo que uma vegetação ligeira cobria. Os olhos abertos, sem ver, toda a atenção voltada para si própria e para o que sentia.

Um móvel estalou, as sombras agarraram-se mais firmes no guarda-roupa.

Então nasceu-lhe uma ideia. Uma ideia tão quente que o coração acompanhou-a com pancadas fortes. Assim: aproximou-se dele, aninhou com cuidado a cabeça no seu braço, junto de seu peito. Ficou parada, à espera. Aos poucos sentiu o calor do estranho transmitindo-se a ela mesma pela nuca. Ouviu o bater ritmado, longínquo e sério de um coração. Perscrutou-se atenta. Aquele ser vivo era seu. Aquele desconhecido, aquele outro mundo era seu. Via-o de longe, do alto da lâmpada, o corpo nu – perdido e fraco. Fraco. Como eram frágeis e delicadas suas linhas descobertas, sem proteção. Ele, ele, o homem. De uma fonte oculta veio-lhe subindo pelo corpo a angústia, enchendo-lhe todas as células, empurrando-a desamparada para o fundo da cama. Meu deus, meu deus. Depois, num parto doloroso, sob a respiração difícil, sentiu o óleo macio da renúncia derramar-se dentro de si, enfim, enfim. Ele era seu.

Desejou chamá-lo, pedir-lhe apoio, pedir-lhe que dissesse palavras de apaziguamento. Mas não queria acordá-lo. Temia que ele não soubesse fazê-la subir para uma sensação mais alta, para a realização daquilo que agora era ainda um doce embrião. Sabia que mesmo nesse momento estava sozinha, que o homem acordaria distante. Que ele poderia interceptar-lhe com um bloco – uma palavra distraída e morna – o estreito e luminoso caminho onde tropeçava nos primeiros passos. No entanto imaginá-lo ignorante do que se passava dentro dela não diminuía sua ternura. Aumentava-a, fazia-a maior que seu corpo e sua alma como para compensar a distância do homem.

Joana sorria, mas não podia evitar que o sofrimento começasse a lhe palpitar em todo o corpo, como uma sede amarga. Mais que sofrimento, um desejo de amor crescendo e dominando-a. Dentro de um vago e leve turbilhão, como uma rápida vertigem, veio-lhe a consciência do mundo, de sua própria vida, do passado aquém de seu nascimento, do futuro além de seu corpo. Sim, perdida como um ponto, um ponto sem dimensões, uma vez, um pensamento. Ela nascera, ela morreria, a terra... Veloz, profunda a sensação: um mergulho cego numa cor – vermelha, serena e larga como um campo. A mesma consciência violenta e instantânea que a assaltava às vezes nos grandes instantes de amor, como a um afogado que vê pela última vez.

– Meu... – começou baixo.

Mas tudo o que ela pudesse dizer não bastava. Ela estava vivendo, vivendo. Espiou-o. Como ele dormia, como existia. Nunca o sentira tanto. Quando se unira a ele, nos primeiros tempos de casada, o deslumbramento lhe viera de seu próprio corpo descoberto. A renovação fora sua, ela não transbordara até o homem e continuara isolada. Agora subitamente compreendia que o amor podia fazer com que se desejasse o momento que vem num impulso que era a vida... – Sentia o mundo palpitar docemente em seu peito, doía-lhe o corpo como se nele suportasse a feminilidade de todas as mulheres.

Silenciou de novo olhando para dentro de si. Lembrou-se: sou a onda leve que não tem outro campo senão o mar, me debato, deslizo, voo, rindo, dando, dormindo, mas ai de mim, sempre em mim, sempre em mim. De quando era aquilo? Lido em criança? Pensado? De súbito recordou-se: ainda agora pensara-o, talvez antes de encostar o braço no de Otávio, talvez naquele momento em que tivera vontade de gritar... Cada vez mais tudo era passado... E o passado tão misterioso como o futuro.

Sim... e também vira, rapidamente como um carro silencioso em disparada, aquele homem que ela encontrava às vezes na rua... aquele homem que a fitava mudo, magro e afiado como uma faca. Já o sentira naquela noite de leve, encostando na sua consciência como a cabeça de um alfine-te... como um pressentimento... mas em que momento? No sonho? Na vigília? Um novo fluxo de dor e de vida cresceu, inundou-a, com a angústia da prisão.

– Eu... – recomeçou tímida para Otávio.

Estava mais escuro, ela não o via senão como uma sombra. Ele se apagava cada vez mais, escorregava-lhe por entre as mãos, morto no fundo do sono. E ela, solitária como o tique-taque de um relógio numa casa vazia. Esperava sentada sobre a cama, os olhos engrandecidos, o frio da madrugada próxima atravessando-lhe a camisa fina. Sozinha no mundo, esmagada pelo excesso de vida, sentindo a música vibrar alta demais para um corpo.

Mas a libertação veio e Joana tremeu ao seu impulso... Porque, branda e doce como um amanhecer num bosque, nasceu a inspiração... Então ela inventou o que deveria dizer. Os olhos fechados, entregue, disse baixinho palavras nascidas naquele instante, nunca antes ouvidas por alguém, ainda tenras da criação – brotos novos e frágeis. Eram menos que palavras, apenas sílabas soltas, sem sentido, mornas, que fluíam e se entrecruzavam, fecundavam-se, renasciam num só ser para desmembrarem-se em seguida, respirando, respirando...

Seus olhos se umedeceram de alegria suave e de gratidão. Falara... As palavras vindas de antes da linguagem, da fonte, da própria fonte. Aproximou-se dele, entregando-lhe sua alma e sentindo-se no entanto plena como se tivesse sorvido um mundo. Ela era como uma mulher.

As árvores escuras do jardim vigiavam secretamente o silêncio, ela bem sabia, bem sabia... Adormeceu.

LÍDIA

manhã seguinte era de novo como um primeiro dia, sentiu Joana.

Otávio saíra cedo e ela o abençoava por isso como se ele lhe tivesse concedido intencionalmente tempo para pensar, para observar-se. Ela não queria precipitar-se em nenhuma atitude, sentia que qualquer de seus movimentos poderia tornar-se precioso e perigoso.

Foram instantes, horas rápidas apenas. Porque ela recebeu o bilhete de Lídia convidando-a a visitá-la.

Sua leitura fizera Joana sorrir antes mesmo de provocar aquelas rápidas e pesadas batidas do coração. E também a lâmina fria de aço encostando no interior morno do corpo. Como se sua tia morta ressurgisse e lhe falasse, Joana imaginou-lhe o susto, sentiu seus olhos abertos – ou seria os seus próprios olhos a quem ela não permitia surpresas?:
– Otávio voltou para Lídia, apesar de Joana? – diria a tia.

Joana alisou os cabelos vagarosamente, a lâmina fria encostada ao coração quente, sorriu de novo, oh só para ganhar tempo. Mas sim, por que não continuar com Lídia? – respondeu à tia morta. A lâmina agora, a esse pensamento claro, oprimiu-lhe rindo os pulmões, gelada. Por que recusar acontecimentos? Ter muito ao mesmo tempo, sentir de várias maneiras, reconhecer a vida em diversas fontes... Quem poderia impedir a alguém de viver largamente?

Mais tarde caiu num estado de estranha e leve excitação. Deslizou pela casa sem destino, chorou mesmo um pouco, sem grande sofrimento, só por chorar – convenceu-se – simplesmente, como quem acena com a mão, como quem olha. Estou sofrendo? – indagava-se às vezes e de novo quem pensava enchia toda ela de surpresa, curiosidade e orgulho e não restava lugar para quem sofrer. Mas sua fina exaltação não lhe permitiu continuar num mesmo plano durante muito tempo. Passou logo a outro tom de comportamento, tocou um pouco de piano, esqueceu a carta de Lídia. Quando dela se lembrava, vagamente, um pássaro que vem e volta, não sabia decidir-se, se ficava triste ou alegre, se calma ou agitada. Lembrava-se continuamente da noite anterior, a vidraça erguida brilhava serenamente à lua, do peito nu de Otávio, da Joana que adormecera profundamente, quase pela primeira vez na vida, confiando-se a um homem que dormia ao seu lado. Na verdade não se distanciara da Joana cheia de ternura da véspera. Envergonhada, humilde e rejeitada, essa vagara até voltar e Joana estava cada vez mais dura, mais concentrada e cada vez mais perto de si mesma – julgava. Até melhor. Só que o aço frio se renovava sempre, nunca esquentava. Sobretudo, no fundo de qualquer pensamento pairava um outro, perplexo, quase encantado, como no dia da morte do pai: aconteciam coisas sem que ela as inventasse...

De tarde pôde enfim observar Lídia e soube que estava tão longe dela como da mulher da voz. Olhavam-se e não podiam se odiar ou mesmo se repelir. Lídia falara, pálida e discreta, sobre vários assuntos sem interesse para nenhuma das duas. Sua gravidez nascente boiava por toda a sala, enchia-a, penetrava Joana. Até aqueles móveis apagados, com os paninhos de croché, pareciam guardar-se no mesmo segredo quase revelado, na mesma espera de um filho. Os olhos abertos de Lídia eram sem sombras. Que mulher bela. Os lábios cheios mas pacíficos, sem estremecimentos, como de alguém que não tem receio do prazer, que o recebe sem remorsos. Que poesia seria a base de sua vida? Que diria aquele murmúrio que ela adivinhava no interior de Lídia? A mulher da voz multiplicava-se em inúmeras mulheres... Mas onde estava afinal a divindade delas? Até nas mais fracas havia a sombra daquele conhecimento que não se adquire com a inteligência. Inteligência das coisas cegas. Poder da pedra que tombando empurra outra que vai cair no mar e matar um peixe. Às vezes encontrava-se o mesmo poder em mulheres apenas ligeiramente mães e esposas, tímidas fêmeas do homem, como a tia, como Armanda. No entanto aquela força, a unidade na fraqueza... Oh, estava exagerando talvez, talvez a divindade das mulheres não fosse específica, estivesse apenas no fato de existirem... Sim, sim, aí estava a verdade: elas existiam mais do que os outros, eram o símbolo da coisa na própria coisa. E a mulher era o mistério em si mesmo, descobriu. Havia em todas elas uma qualidade de matéria-prima, alguma coisa que podia vir a definir-se mas que jamais se realizava, porque sua essência mesma era a de "tornar-se". Através dela exatamente não se unia o passado ao futuro e a todos os tempos?

Lídia e Joana calaram um longo momento. Não se sentiam propriamente juntas, mas sem necessidade de palavras, como se na realidade se tivessem encontrado apenas para se olhar e retirar-se então. A estranheza da situação tornou-se mais nítida quando as duas mulheres sentiram que não estavam lutando. Em ambas houve um movimento de impaciência, ainda havia um dever a cumprir. Joana afastou-o, subitamente saciada:

— Bem — o tom da própria voz acordou-a desagradavelmente — creio que está finda a entrevista.

Lídia assombrou-se. Mas como? pois se nada tinham dito! Sobretudo, repugnava-lhe a ideia de uma coisa inacabada:

— Nós nada dissemos ainda... E precisamos falar...

Joana sorriu. Nesse sorriso começou a agir, não com força – o cansaço – mas exatamente como eu a impressionaria. Que tolice estou pensando afinal?

— Não sente – disse Joana – que nos afastamos do motivo que nos reuniu? Se falássemos nele seria pelo menos agora sem interesse nem ardor... Deixemos tudo para outro dia.

Por um instante a figura do homem apareceu-lhes apagada, inoportuna. Mas Lídia sabia que mal aquela mulher desaparecesse, desapareceria também a inércia e o torpor em que ela a deixara, tirando-lhe a vontade de se mover. E de novo desperta, quereria o filho. A pequena família. Fazia esforço por sair daquele sono, por abrir os olhos e lutar:

— É absurdo perdermos essa ocasião...

Sim, compremos o artigo, compremos o artigo. Minha moleza vem de que me preparei demais para a festa. Joana riu novamente, sem alegria.

— Sei que nada posso esperar de sua parte, retomou a grávida subitamente com força – uma nuvem destapando o sol, tudo rebrilhando de novo, insuflado de vida. Também Joana se aclarou, sentiu a nuvem descobrindo o sol, tudo borbulhando levemente de mãos dadas numa roda suave, como de crianças.

– Conheço-a bem, continuou Lídia. As palavras caíram serenamente enfaradas no lago, depositavam-se no seu fundo, sem consequência.

Mas de repente a moça se empurrou e à sua gravidez, num último esforço para despertar:

– Conheço-a, sei quanto é firme sua maldade.

Agora a sala revivia.

– Ah, sabe?

Sim, revivia, acordou Joana. Que estou dizendo? Como ouso vir aqui? Estou longe, longe. Basta olhar para essa mulher para compreender que não se poderia gostar de mim. O aço encostou subitamente em seu coração. Ah, o ciúme, era isso o ciúme, a mão fria amassando-a lentamente, apertando-a, diminuindo sua alma. Comigo acontece o seguinte ou senão ameaça acontecer: de um momento para outro, a certo movimento, posso me transformar numa linha. Isso! numa linha de luz, de modo que a pessoa fica só ao meu lado, sem poder me pegar e à minha deficiência. Enquanto Lídia tem vários planos. A cada gesto revela-se outro aspecto de sua dimensão. Ao seu lado ninguém escorrega e se perde, porque se apoia sobre seus seios – sérios, plácidos, pálidos, enquanto os meus são fúteis – sou sobre sua barriga onde até um filho cabe. Não exagerar sua importância, em todos os ventres de mulheres pode nascer um filho. Como é bela e é mulher, serenamente matéria-prima, apesar de todas as outras mulheres. O que há no ar? estou sozinha. Os lábios grandes de Lídia, de linhas vagarosas, tão bem pintados de claro, enquanto eu de batom escuro, sempre escarlate, escarlate, escarlate, o rosto branco e magro. Esses seus olhos castanhos, enormes e tranquilos, talvez nada tenham a dar, mas recebem tanto que ninguém poderia resistir, muito menos Otávio. Sou um bicho de plumas, Lídia de pelos,

Otávio se perde entre nós, indefeso. Como escapar ao meu brilho e à minha promessa de fuga e como escapar à certeza dessa mulher? Nós duas formaríamos uma união e forneceríamos à humanidade, sairíamos de manhã cedo de porta em porta, tocaríamos a campainha: qual é que a senhora prefere: meu ou dela? e entregaríamos um filhinho. Compreendo por que Otávio não se desligou de Lídia: ele está sempre disposto a se lançar aos pés daqueles que andam para frente. Nunca vê um monte sem enxergar apenas sua firmeza, nunca vê uma mulher de busto grande sem pensar em deitar a cabeça sobre ele. Como sou pobre junto dela, tão segura. Ou me acendo e sou maravilhosa, fugazmente maravilhosa, ou senão obscura, envolvo-me em cortinas. Lídia, o que quer que seja, é imutável, sempre com a mesma base clara. As minhas mãos e as dela. As minhas – esboçadas, solitárias, traços lançados para a frente e para trás, descuido e rapidez num pincel molhado em tinta branco-triste, estou sempre levando a mão à testa, sempre ameaçando deixá-las no ar, oh como sou fútil, só agora compreendo. As de Lídia – recortadas, bonitas, cobertas por uma pele elástica, rosada, amarelada, como uma flor que vi em alguma parte, mãos que repousam em cima das coisas, cheias de direção e sabedoria. Eu toda nado, flutuo, atravesso o que existe com os nervos, nada sou senão um desejo, a raiva, a vaguidão, impalpável como a energia. Energia? mas onde está minha força? na imprecisão, na imprecisão, na imprecisão... E vivificando-a, não a realidade, mas apenas o vago impulso para diante. Quero deslumbrar Lídia, tornar a conversa algo estranho, fino, escapando, mas não, mas sim, não, mas por que não? Lembrou-se subitamente de Otávio, mexendo e soprando a xícara de café para esfriá-la, o ar sério, interessado e ingênuo. Surpreender Lídia, sim, arrastá-la... Como naquele tempo do internato, quando subitamente precisava pôr à prova seu poder, sentir a admiração das colegas, com quem geralmente pouco falava. Então representava friamente, inventando, brilhando como numa vingança. Do silêncio em que se escondia, saía para a luta:

– Olhem aquele homem... Toma café com leite de manhã, bem devagar, molhando o pão na xícara, deixando escorrer, mordendo-o, levantando-se depois pesado, triste...

As colegas olhavam, viam um homem qualquer e no entanto, apesar de surpreendidas e intencionalmente distantes a princípio, no entanto... era milagrosamente exato! Elas chegavam a ver o homem se levantando da mesa... a xícara vazia... algumas moscas... Joana continuava a ganhar tempo, a avançar, os olhos acesos:

– E aquele outro... De noite tira com esforço os sapatos, joga-os longe, suspira, diz: o que importa é não desanimar, o que importa é não desanimar...

As mais fracas murmuravam já sorridentes, dominadas: é mesmo... como é que você sabe? As outras retraíam-se. Porém terminavam ao redor de Joana, esperando que ela lhes mostrasse mais alguma coisa. Seus gestos a essa altura se tornavam leves, febris, e inspirada cada vez mais tocava em todas:

– Vejam os olhos daquela mulher... redondos, transparentes, tremem, tremem, de um instante para outro podem cair numa gota d'água...

– E aquele olhar? – às vezes Joana era mais audaciosa, encontrando súbita timidez naquelas meninas que liam certos livros nos corredores da escola. E aquele olhar? de quem busca prazer onde quer que o encontre...

As colegas riam, mas aos poucos nascia alguma coisa de inquieto, doloroso e incômodo na cena. Elas terminavam por rir demais, nervosas e insatisfeitas. Joana, animada, subia sobre si mesma, prendia as moças à sua vontade e à sua palavra, cheia de uma graça ardente e cortante como ligeiras chicotadas. Até que, finalmente envoltas, elas aspiravam o seu brilhante e sufocante ar. Numa súbita saciedade, Joana parava então, os olhos secos, o corpo trêmulo sobre a vitória. Desamparadas, sentindo o rápido afastamento de Joana e seu desprezo, também elas tombavam murchas, como envergonhadas. Alguma dizia antes de se dispersarem, cansadas umas das outras:

– Joana fica insuportável quando está alegre...

Lídia corou. O "Ah, sabe?" de Joana soara tão curto, distraído e curioso, tão longe da emoção de Lídia.

– Não tem importância, não tem importância – tentou Joana apaziguá-la. É claro que você não pode saber o que é maldade. Então vai ter um filho..., continuou. Quer Otávio, o pai. É compreensível. Por que não trabalha para sustentar o guri? Certamente você estava esperando de mim grandes bondades, apesar do que disse agora sobre minha maldade. Mas a bondade me dá realmente ânsias de vomitar. Por que não trabalha? Assim não precisaria de Otávio. Não estou disposta a lhe ceder exatamente tudo. Mas me conte antes seu romance com Otávio, me conte como conseguiu que ele voltasse para você. Ou melhor: o que ele pensa de mim. Diga sem medo. Eu o faço muito infeliz?

– Não sei, não tocamos no seu nome.

Eu estava então sozinha? e essa alegria de dor, o aço franzindo minha pele, esse frio que é ciúme, não, esse frio que é assim: ah, andaste tudo isso? pois tens que voltar. Mas dessa vez não recomeçarei, juro, nada reconstruirei, ficarei atrás como uma pedra lá longe, no começo do caminho. Há qualquer coisa que roda comigo, roda, roda, me atordoa, me atordoa, e me deposita tranquilamente no mesmo lugar.

Dirigiu-se à grávida:

– Não é possível... Ele não se libertaria tão facilmente.

– Mas ele de certo modo detesta você! – gritara Lídia.

Ah, bem.

– Você também sente isso? – perguntara Joana. – Sim, sim... Não é ódio somente, apesar de tudo. – A noite de ontem, minha ternura, não importa, no fundo eu sabia que estava só, nem ao menos fui enganada, porque sabia, sabia. – E se fosse medo também?

– Medo? Não compreendo, surpreendia-se Lídia, medo de quê?

– Talvez porque eu seja infeliz, medo de se aproximar. Talvez seja isso: medo de ter que sofrer também...

– É infeliz? – indagara a outra baixo.

– Mas não se assuste, a infelicidade nada tem a ver com a maldade, rira Joana. – O que houve afinal? Não estou presente, não estou presente, o que houve, o cansaço, vontade de sair chorando. Eu sei, eu sei: gostaria de passar pelo menos um dia vendo Lídia andar da cozinha para a sala, depois almoçando ao seu lado numa sala quieta – algumas moscas, talheres tilintando –, onde não entrasse calor, vestida num largo e velho robe florido. Depois, de tarde, sentada e olhando-a coser, dando-lhe aqui e ali uma pequena ajuda, a tesoura, a linha, à espera da hora do banho e do lanche, seria bom, seria largo e fresco. Será um pouco disso o que sempre me faltou? Por que é que ela é tão poderosa? O fato de eu não ter tido tardes de costura não me põe abaixo dela, suponho. Ou põe? Põe, não põe, põe, não põe. Eu sei o que quero: uma mulher feia e limpa com seios grandes, que me diga: que história é essa de inventar coisas? nada de dramas, venha cá imediatamente! – E me dê um banho morno, me vista uma camisola branca de linho, trance meus cabelos e me meta na cama, bem zangada, dizendo: o que então? fica aí solta, comendo fora de hora, capaz de pegar uma doença, deixe de inventar tragédias, pensa que é grande coisa na vida, tome essa xícara de caldo quente. Me levanta a cabeça com a mão, me cobre com um lençol grande, afasta alguns fios de cabelo de minha testa, já branca e fresca, e me diz antes de eu adormecer mornamente: vai ver como em pouco tempo engorda esse rosto, esquece as maluquices e fica uma boa menina. Alguém que me recolha como a um cão humilde, que me abra a porta, me escove, me alimente, me queira severamente como a um cão, só isso eu quero, como a um cão, a um filho.

– Você gostaria de estar casada – casada de verdade – com ele? – indagou Joana.

Lídia olhara-a rapidamente, procurava saber se havia sarcasmo na pergunta:

– Gostaria.

– Por quê? – surpreendeu-se Joana. Não vê que nada se ganha com isso? Tudo o que há no casamento você já tem – Lídia corou, mas eu não tinha malícia, mulher feia e limpa. – Aposto como você passou toda a vida querendo casar.

Lídia teve um movimento de revolta: era tocada bem na ferida, friamente.

– Sim. Toda mulher... – assentiu.

– Isso vem contra mim. Pois eu não pensava em me casar. O mais engraçado é que ainda tenho a certeza de que não casei... Julgava mais ou menos isso: o casamento é o fim, depois de me casar nada mais poderá me acontecer. Imagine: ter sempre uma pessoa ao lado, não conhecer a solidão. – Meu Deus! – não estar consigo mesma nunca, nunca. E ser uma mulher casada, quer dizer, uma pessoa com destino traçado. Daí em diante é só esperar pela morte. Eu pensava:

nem a liberdade de ser infeliz se conserva porque se arrasta consigo outra pessoa. Há alguém que sempre a observa, que a perscruta, que acompanha todos os seus movimentos. E mesmo o cansaço da vida tem certa beleza quando é suportado sozinha e desesperada – eu pensava. Mas a dois, comendo diariamente o mesmo pão sem sal, assistindo à própria derrota na derrota do outro... Isso sem contar com o peso dos hábitos refletidos nos hábitos do outro, o peso do leito comum, da mesa comum, da vida comum, preparando e ameaçando a morte comum. Eu sempre dizia: nunca.

– Por que casou? – indagava Lídia.

– Não sei. Só sei que esse "não sei" não é uma ignorância particular, em relação ao caso, mas o fundo das coisas. – Estou fugindo da questão, daqui a pouco ela me olhará daquele jeito que eu já conheço. – Casei certamente porque quis casar. Porque Otávio quis casar comigo. É isso, é isso: descobri: em lugar de pedir para viver comigo sem casamento, sugeriu-me outra coisa. Aliás daria no mesmo. E eu estava tonta, Otávio é bonito, não é? não me lembrei de mais nada. – Pausa. – Como é que você o quer: com o corpo?

– Sim, com o corpo – balbuciara Lídia.

– É amor.

– E você? – atreveu-se Lídia.

– Não tanto.

– Mas ele me disse, ao contrário...

Lídia interrompera-se. Olhava-a com cuidado. Como Joana parecia inexperiente. Falava do amor com tanta simplicidade e clareza porque certamente nada ainda lhe tinha sido revelado através dele. Ela não caíra nas suas sombras, ainda não sentira suas transformações profundas e secretas. Senão teria, como ela própria, quase vergonha de tanta felicidade, manter-se-ia vigilante à sua porta, protegendo da luz fria aquilo que não deveria crestar-se para continuar a viver. No entanto aquela vivacidade de Joana... o que compreendera através de Otávio... que existia vida dentro dela... Mas seu amor não abrigava, nem a Joana mesma, sentiu Lídia. Inexperiente, íntegra, intocada, podia confundir-se com uma virgem. Lídia olhava-a e tentava explicar-se o que havia de oscilante e lúcido naquele rosto. Certamente o amor não a ligava nem mesmo ao amor. Enquanto ela própria, Lídia, quase um instante após o primeiro beijo, transformara-se em mulher.

– Sim, sim, mas nada altera, prosseguia Joana serena. Eu o quero também mais friamente, como a uma criatura, como a um homem. – Será que ela vai olhar daquele jeito medroso, assombrado, reverente: oh, porque você fala em coisas difíceis, porque empurra coisas enormes num momento simples, me poupe, me poupe. Mas dessa vez tenho culpa, porque realmente nem sei o que pretendia dizer. Porém é assim que eu a vencerei.

Lídia hesitava:

– Isso não é mais do que amor?

– Pode ser, disse Joana surpresa. O que importa é que já não é amor. – E de repente eis que vem o cansaço, o grande "para quê" me envolvendo, e eu sei que vou dizer alguma coisa. – Fique com Otávio. Tenha seu filho, seja feliz e me deixe em paz.

– Sabe o que está dizendo? – gritara a outra.

– Sei, é claro.

– Não gosta dele...

– Gosto. Mas eu nunca sei o que fazer das pessoas ou das coisas de que eu gosto, elas chegam a me pesar, desde pequena. Talvez se eu gostasse realmente com o corpo... Talvez me ligasse mais... – São confidências. Deus meu. Agora vou dizer assim: – Otávio foge de mim porque eu não trago paz a ninguém, dou aos outros sempre a mesma taça, faço com que digam: eu estive cego, não era paz o que eu tinha, agora é que a desejo.

– Mesmo assim... acho... ninguém pode se lamentar... Nem Otávio... suponho que nem eu... – Lídia não soubera explicar, quedara-se vaga, as mãos não pousavam sobre as coisas.

– O quê?

– Não sei. – Olhava para Joana e procurava alguma coisa no seu rosto, intrigada, movendo a cabeça.

– O que é? – repetiu Joana.

– Não consigo compreender.

Joana enrubesceu de leve:

– Também eu. Nunca penetrei no meu coração.

Alguma coisa estava dita.

Joana caminhou até a janela, espiou o jardim onde brincaria o filho de Lídia, que estava agora no ventre de Lídia, que seria alimentado pelos seios de Lídia, que seria Lídia. Ou Otávio, fruto verde? Não, Lídia, a que se transmite. Se a abrissem ao meio – ruído de folhas frescas se partindo – veriam-na como uma romã aberta, sadia e rosada, translúcida como olhos claros. A base de sua vida era mansa como um regato correndo no campo. E nesse campo ela própria se movia segura e serena como um animal a pastar. Comparou-a com Otávio, para quem a vida nunca passaria de uma estreita aventura individual. E com ela mesma, usando os outros para fundo sombrio onde se recortasse sua figura brilhante e alta. A poesia de Lídia: só este silêncio é minha prece, Senhor, e não sei dizer mais; sou tão feliz em sentir que me calo para sentir mais; foi em silêncio que nasceu em mim uma teia de aranha tenra e leve: esta suave incompreensão da vida que me permite viver. Ou era tudo mentira? Oh, Deus, quando mais precisava agir perdia-se em pensamentos inúteis. Tudo certamente mentira, era até possível que Lídia fosse muito menos pura do que imaginava. Mas mesmo assim receava continuar ao seu lado, olhá-la sem querer com um pouco de força, fazer com que ela tomasse consciência de si própria. Preservá-la, não transformar sua cor, sua preciosa voz.

– Ele me contou aquilo do velhinho... Jogou o livro sobre ele, tão velho... Antes eu compreendi, mas agora não sei como pôde... – perguntara Lídia.

– Mas foi verdade.

Lídia olhava-a, os lábios entreabertos, esperando-a. E de repente sentiu com clareza que não queria lutar contra aquela mulher. Balançou a cabeça desnorteada. Seu rosto dissolveu-se, tremeu, seus traços hesitaram em busca de uma expressão:

– Eu não fiz isso por querer, sabe? Não, eu não fiz... – Lídia continuava inquieta, o rosto picado por estremecimentos rápidos. – Por que haveria eu de querer enganá-la? Não, não é isso que eu quero dizer, não é isso...

E subitamente, sem que Joana pudesse prevê-lo, rompeu num choro livre e forte. Ela vai ter um filho, está nervosa, pensou Joana. A outra se arrastava penosamente:

– Eu não me incomodaria de tirar Otávio de outra mulher. Mas não sabia que havia você... Não uma pessoa qualquer, como eu, mas alguém tão... tão boa... tão sublime...

Joana sobressaltou-se. Ah, eu estive trabalhando para isso: consegui ser sublime... como nos antigos tempos... Não, não é inteiramente assim, não forcei a situação, como o poderia com o aço franzindo e esfriando meu corpo? Não me colocar a essa luz, com o sulco na testa tão evidente.

Procurar aquele grau de luz e sombra em que me torno subitamente polpuda, o batom escurecido em mancha velha de sangue, o rosto esbranquiçado sob os cabelos... Encostam-me de novo a lâmina de aço no coração. Quando eu for embora ela me desprezará, é apenas no momento que está deslumbrada. Sou fugazmente maravilhosa... Deus, Deus... caminho correndo, alucinada, o corpo voando, hesitando... para onde? Há uma substância assustada e leve no ar, eu consegui obtê-la, é como o instante que precede o choro de uma criança. Naquela noite, não sei quando, havia escadarias, leques se movendo, luzes ternas balançando os doces raios como cabeças de mães tolerantes, havia um homem olhando para mim lá da linha do horizonte, eu era uma estranha, mas vencia de qualquer modo, mesmo que fosse desprezando alguma coisa. Tudo deslizava suave, em combinação muda. Já era no fim – fim de quê? da escadaria nobre e lânguida, inclinada, acenando o longo braço brilhante, o belo e orgulhoso corrimão, o fim da noite – quando eu resvalava para o centro da sala, suave como uma bolha de ar. E subitamente, forte como um trovão, porém mudo como um espanto mudo, e, subitamente, mais um passo e não pude continuar! A barra de meu vestido de gaze estremeceu num esgar, lutou, torceu-se, rasgou-se no canto agudo do móvel e lá ficou trêmula, arquejante, perplexa sob meu olhar estupefacto. E de repente as coisas haviam endurecido, uma orquestra rebentara em sons tortos e silenciara imediatamente, havia alguma coisa triunfante e trágica no ar. Eu descobri que no fundo não havia em mim surpresa: que tudo caminhava lentamente para aquilo e agora se precipitara no seu verdadeiro plano. Eu queria sair correndo, chorando com meu pobre vestido sem barra, roto e aflito. Agora as luzes brilhavam com força e orgulho, os leques

desvendavam caras resplandecentes e astuciosas, lá de lon-
ge do horizonte o homem ria para mim, o corrimão retraiu-
se, fechou os olhos... Ninguém precisava mais mentir, uma
vez que eu já sabia tudo! Também agora me precipitarei
em outro estado. Por quê? Por quê? Vou embora daqui, vou
para casa, de um instante para outro o rasgão no vestido, ou-
vir o grito lancinante da orquestra e subitamente o silêncio,
todos os músicos caídos mortos sobre o estrado, no grande
salão zangado e vazio. Olhar de frente para o rasgão, mas
sempre tive medo de rebentar de sofrimento, como o gri-
to da orquestra. Ninguém sabe até que ponto posso chegar
quase em triunfo como se fosse uma criação: é uma sensa-
ção de poder extra-humano conseguida em certo grau de
sofrimento. Porém um minuto mais e a gente não sabe se
é de poder ou de absoluta impotência, assim como querer
com o corpo e o cérebro movimentar um dedo e simples-
mente não consegui-lo. Não é simplesmente não consegui-lo:
mas todas as coisas rindo e chorando ao mesmo tempo.
Não, seguramente não inventei esta situação, e é isso o que
mais me surpreende. Porque minha vontade de experiên-
cia não chegaria a provocar esse ferro frio encostando na
carne morna, finalmente morna da ternura de ontem. Oh,
não se fazer de mártir: você sabe que não continuaria no
mesmo estado por muito tempo: de novo abriria e fecharia
círculos de vida, jogando-os de lado, murchos... Também
aquele momento passaria, mesmo que Lídia não reclamas-
se Otávio, mesmo que eu jamais viesse a saber que Otávio
não a abandonara embora casado comigo. Não é que estou
misturando a essa ameaça de dor certa alegria doce e irôni-
ca? não é que estou me querendo nesse momento? Só quan-
do sair daqui me permitirei olhar o rasgão do vestido. Nada
aconteceu, só que ontem eu iniciara a renovação e agora me

retraio porque essa mulher está nervosa porque espera um filho de Otávio. Sobretudo não houve transformação essencial, tudo isso já existia, houve apenas o rasgão do vestido indicando as coisas. E realmente realmente realmente, dor de cabeça, cansaço, realmente tudo caminhava para isso.

– Eu também posso ter um filho, disse alto. A voz soou bela e límpida.

– Sim – murmurara Lídia assombrada.

– Eu também posso. Por que não?

– Não...

– Não? Mas sim... Eu lhe darei Otávio, não agora, porém quando eu quiser. Eu terei um filho e depois lhe devolverei Otávio.

– Mas isso é monstruoso! – gritara Lídia.

– Mas por quê? É monstruoso ter duas mulheres? Você bem sabe que não. É bom estar grávida, imagino. Mas basta para alguém esperar um filho ou ainda é pouco?

– A gente se sente bem, dissera Lídia arrastada, os olhos abertos.

– Bem?

– Também se tem medo do parto às vezes – respondia a outra mecanicamente.

– Não se assuste, qualquer animal tem filhos. Você terá um parto fácil e também eu. Nós duas temos a bacia larga.

– Sim...

– Eu também quero as coisas da vida. Por que não? Pensa que sou estéril? Nem um pouco. Não tive filhos porque não quis.

Eu me sinto segurando uma criança, pensou Joana. Dorme, meu filho, dorme, eu lhe digo. O filho é morno e eu estou triste. Mas é a tristeza da felicidade, esse apaziguamento e suficiência que deixam o rosto plácido, longínquo. E quando meu filho me toca não me rouba pensamento como os outros. Mas depois, quando eu lhe der leite com estes seios frágeis e bonitos, meu filho crescerá de minha força e me esmagará com sua vida. Ele se distanciará de mim e eu serei a velha mãe inútil. Não me sentirei burlada. Mas vencida apenas e direi: eu nada sei, posso parir um filho e nada sei. Deus receberá minha humildade e dirá: pude parir um mundo e nada sei. Estarei mais perto d'Ele e da mulher da voz. Meu filho se moverá nos meus braços e eu me direi: Joana, Joana, isso é bom. Não pronunciarei outra palavra porque a verdade será o que agradar aos meus braços.

O HOMEM

ntre um instante e outro, entre o passado e as névoas do futuro, a vaguidão branca do intervalo. Vazio como a distância de um minuto a outro no círculo do relógio. O fundo dos acontecimentos erguendo-se calado e morto, um pouco da eternidade.

Apenas um segundo quieto talvez separando um trecho da vida ao seguinte. Nem um segundo, não pôde contá-lo em tempo, porém longo como uma linha reta infinita. Profundo, vindo de longe – um pássaro negro, um ponto crescendo do horizonte, aproximando-se da consciência como uma bola arremessada do fim para o princípio. E explodindo diante dos olhos perplexos em essência de silêncio. Deixando depois de si o intervalo perfeito como um único som vibrando no ar. Renascer depois, guardar a memória estranha do intervalo, sem saber como misturá-lo à vida. Carregar para sempre o pequeno ponto vazio – deslumbrado e virgem, demasiado fugaz para se deixar desvendar.

Joana sentiu-o enquanto atravessava o pequeno jardim de Lídia, ignorando aonde iria, sabendo apenas que deixava atrás de si tudo o que vivera. Quando fechou o portãozinho, afastou-se de Lídia, de Otávio, e, de novo sozinha em si mesma, caminhava.

Um começo de tempestade calmara e o ar fresco circulava docemente. Subiu de novo o morro e seu coração ainda batia sem ritmo. Procurava a paz daqueles caminhos àquela hora, entre a tarde e a noite, uma cigarra invisível sussurrando o mesmo canto. Os velhos muros úmidos em ruína, invadidos de heras e trepadeiras sensíveis ao vento. Parou e sem os seus passos ouvia o silêncio mover-se. Só seu corpo perturbava aquela serenidade. Imaginava-a sem sua presença e adivinhava a frescura que deveriam ter aquelas coisas mortas misturadas às outras, fragilmente vivas como no início da criação.

As altas casas fechadas, recolhidas como torres. Chegava-se a um dos casarões por uma longa rua sombria e quieta, o fim do mundo. Apenas junto dele enxergava-se um declive, o nascimento de outra rua e compreendia-se que não era o fim. O casarão baixo e largo, os vidros quebrados, as venezianas cerradas, cobertas de poeira. Conhecia bem aquele jardim onde se misturavam fofos tufos de erva, rosas vermelhas, velhas latas enferrujadas. Sob os jasmineiros em flor encontraria os jornais desbotados, pedaços de madeira úmida de antigos enxertos. Entre as árvores pesadas e envelhecidas os pardais e os pombos beliscando desde sempre o chão. Um passarinho pousava do voo, passeava pelos arredores até sumir-se numa das moitas. O casarão orgulhoso e doce em seus escombros. Morrer ali. Àquela casa só se podia chegar quando viesse o fim. Morrer naquela terra úmida tão boa para receber um corpo morto. Mas não era morte o que ela queria, tinha medo também.

154

Um fio d'água corria sem cessar pela parede escura. Joana parou um instante, olhou-o vazia, impassível. Num de seus passeios ela já se sentara junto do portãozinho enferrujado, o rosto comprimido às grades frias, procurando mergulhar no cheiro úmido e escuro do quintal. Aquela quietude fechada, o perfume. Mas isso fora há muito tempo. Agora ela se separara do passado.

Continuou a andar. Não sentia mais o calor da febre que a conversa com Lídia provocara. Estava pálida e o excesso de cansaço deixava-a agora quase leve, os traços mais finos, purificados. De novo esperava um fim, o fim que jamais vinha completar seus momentos. Que descesse sobre ela algo inevitável, queria ceder, submeter-se. Às vezes seus passos erravam na direção, pesavam-lhe, as pernas mal se moviam. Mas ela se empurrava, guardava-se para cair mais longe. Olhava para o chão, as ervas louras que renasciam humildemente após cada esmagamento.

Levantou os olhos e viu-o. Aquele mesmo homem que a seguia frequentemente, sem jamais se aproximar. Já o vira muitas vezes naquelas mesmas ruas, no passeio da tarde. Não se surpreendeu. Alguma coisa teria que vir de algum modo, ela sabia. Afiado como uma faca. Sim, ainda na noite anterior, deitada ao lado de Otávio, ignorante do que sucederia no dia seguinte, ela se lembrara desse homem. Afiado como uma faca... Numa ligeira vertigem, ao tentar divisá-lo de longe, viu-o multiplicado em inúmeros vultos que enchiam trêmulos e informes o caminho. Quando passou a escuridão da vista, a testa úmida de suor, viu-o em contraste como um ponto único e pobre andando para ela, perdido na longa rua deserta. Certamente ele apenas a seguiria, como das outras vezes. Mas ela estava cansada e parou.

Cada vez mais a figura do homem se aproximava e crescia, cada vez mais Joana se sentiu afundando no irremediável. Ainda poderia recuar, ainda poderia voltar as costas e ir embora, evitando-o. Nem seria fugir, ela adivinhava a humildade do homem. Nada a retinha ali imóvel, claramente à espera de sua aproximação. Nada a retinha, nem o medo. Mas mesmo que agora se aproximasse a morte, mesmo a vileza, a esperança ou de novo a dor. Parara simplesmente. Estavam cortadas as veias que a ligavam às coisas vividas, reunidas num só bloco longínquo, exigindo uma continuação lógica, mas velhas, mortas. Só ela própria sobrevivera, ainda respirando. E à sua frente um novo campo, ainda sem cor, a madrugada emergindo. Atravessar suas brumas para enxergá-lo. Não poderia recuar, não sabia por que recuar. Se ainda hesitava diante do estranho cada vez mais perto é que temia a vida que de novo se aproximava implacável. Procurava agarrar-se ao intervalo, nele existir suspensa, naquele mundo frio e abstrato, sem se mesclar ao sangue.

Ele vinha. Parou a alguns passos dela. Permaneceram em silêncio. Ela de olhos fixos, largos e cansados. Ele trêmulo, hesitante. Ao redor as folhas se moviam à brisa, um pássaro pipilava monotonamente.

O silêncio se prolongava à espera do que pudessem dizer. Mas nenhum dos dois descobria no outro o começo de alguma palavra. Fundiam-se ambos na quietude. Aos poucos ele deixou de palpitar, seus olhos pousaram mais fundo no corpo da mulher, apoderaram-se suavemente dele e de seu cansaço. Olhava-a esquecido de si próprio e de sua timidez. Joana sentia-o penetrá-la e deixou-o.

Quando ele falou ela ergueu imperceptivelmente o corpo. Parecia-lhe longuíssimo o tempo que decorrera, mas quando ele pronunciou as primeiras palavras sem tentar

um início de conversação soube que na verdade distancia-
ra-se incomensuravelmente do princípio.

– Moro naquela casa, disse ele.

Ela esperava.

– Quer descansar?

Joana assentiu e ele olhou mudamente a aura luminosa
que seus cabelos despenteados traçavam em torno da cabe-
ça pequena. Foi na frente e ela seguiu-o.

O quarto do homem estava ainda morno do fim do sol. Ele
abaixou as cortinas e a sombra estendeu-se pelo assoalho, até
a porta fechada. Aproximou-lhe uma poltrona velha e ma-
cia, onde ela mergulhou, as pernas encolhidas. Ele mesmo
sentou-se no bordo da cama estreita, coberta com um lençol
amarrotado. Ficou imóvel, as mãos juntas, olhando-a.

Joana fechou os olhos. Ouvia ruídos macios se prolonga-
rem longinquamente pela casa, a exclamação de suave sur-
presa de uma criança. Como de outro mundo, soou o grito
fresco de um galo distante. Atrás de tudo, água leve corren-
do, a respiração arquejante e compassada das árvores.

Um movimento pressentido perto de si fê-la abrir os
olhos. Não o percebeu a princípio, na meia escuridão do
aposento. Divisou-o aos poucos ajoelhado junto à cama, o
rosto vacilando entre as mãos. Quis chamá-lo e não sabia
como. Não queria tocá-lo. Porém cada vez mais vinha a an-
gústia do homem para ela mesma e Joana moveu-se sobre a
poltrona, esperando seu olhar.

Ele ergueu a cabeça e Joana surpreendeu-se. Os lábios
entreabertos do homem brilhavam úmidos como se uma
luz o iluminasse interiormente. Seus olhos resplandeciam,
mas não se poderia saber se de dor ou de misteriosa alegria.
Sua testa alargara-se para o alto, seu corpo mal se equilibra-
va no esforço de se conter, de não vibrar.

– O quê? – sussurrou Joana fascinada.

Ele olhava-a.

– Tenho medo, disse por fim.

Fitaram-se um segundo. E ela não teve medo, mas sentiu uma alegria compacta, mais intensa que o terror, possuí-la e encher-lhe todo o corpo.

– Eu voltarei a essa casa, disse.

Ele encarou-a subitamente apavorado, sem respirar. Por um instante ela esperou que ele gritasse ou inventasse um movimento louco de que ela nem podia adivinhar o começo. Os lábios do homem tremeram um segundo. E mal se libertando do olhar de Joana, dele fugindo como doido, escondeu bruscamente o rosto nas mãos longas e magras.

O ABRIGO NO HOMEM

oana. Joana, pensava o homem aguardando sua vinda. Joana, nome nu, santa Joana, tão virgem. Como era inocente e pura. Via-lhe os traços infantis, as mãos eloquentes como as de um cego. Ela não era bonita, pelo menos desde homem nunca sonhara com aquela criatura, nunca a esperara. Talvez por isso a tivesse seguido tantas vezes na rua, mesmo sem aguardar seu olhar, talvez... Não sabia, gostara sempre de vê-la. Não era bonita. Ou era? Como saber? Tão difícil descobrir como se nunca a tivesse visto, como se não a tivesse abraçado tantas vezes. Uma ameaça de transformação no rosto, nos movimentos, instante por instante. Mesmo no repouso ela era alguma coisa que ia se erguer. E o que entendia ele agora e sentia tão milagrosamente, como se ela lhe tivesse explicado? – perguntava-se. Fechou os olhos, os braços ao longo da cama. Mas apenas até o momento em que soassem os passos de Joana lá fora. Porque ele nunca ousara abandonar-se em sua presença. Inclinava-se sobre ela, esperava-a cada segundo, absorvendo-a. Não se cansava, porém, e aquela atitude não lhe tirava a naturalidade. Apenas lançava-o numa outra até então desconhecida. Ele era dois, agora, mas aos poucos seu novo ser nascente crescia e dominava o passado do outro. Apertou os lábios. Parecia-lhe que misteriosamente havia lógica em ter experimentado certas torturas, as serenas baixezas, a falta despreocupada de caminho, para agora receber Joana enfim. Não que o tivessem alguma vez impelido para a lama e contra seu desejo, não que se julgasse um mártir. Jamais aguardara solução. Mesmo quanto às mulheres, que ele espiava, espiava e largava. Mesmo aquela mulher na casa de quem ele agora se instalara preguiçosamente, apesar de mal suportar sua presença, uma sombra cansativa e terna. Ele caminhara sobre os seus próprios pés, o corpo consciente, experimentando e sofrendo sem ternura para consigo mesmo, tudo concedendo friamente, ingenuamente à sua curiosidade. Considerava-se até feliz. E agora viera-lhe Joana, ela, Joana que... Quis acrescentar ao pensamento confuso mais uma palavra, a verdadeira, a difícil, porém assaltou-o de novo a ideia de que não precisava mais pensar, não precisava de nada, de nada... ela viria daqui a pouco. Daqui a pouco. Mas escute: daqui a pouco... Era assim: Joana o libertara. Cada vez mais ele necessitava de menos para viver: pensava menos, comia menos, dormia quase nada. Ela era sempre. E viria daqui a pouco.

Fechou os olhos mais intensamente, mordeu os lábios, sofrendo sem saber por quê. Abriu-os em seguida e no quarto – o quarto vazio! – subitamente não descobriu a marca da passagem de Joana. Como se fosse mentira a sua existência... Ergueu-se. Vem, gritou qualquer coisa nele ardente e mortal. Vem, vem, repetiu baixinho, cheio de temor, o olhar perdido. Vem...

Passos quase silenciosos pisavam lá fora as folhas secas. De novo Joana vinha... de novo ela o ouvia de longe.

Ele quedou-se de pé junto da cama, os olhos ausentes, um cego ouvindo música distante. Aproximava-se, aproximava-se... Joana. Seus passos eram cada vez mais uma realidade, a única realidade. Joana. Com a subitaneidade de uma punhalada, a dor estalou dentro de seu corpo, iluminou-o de alegria e perplexidade.

Quando a porta se abriu para Joana ele deixou de existir. Escorregara muito fundo dentro de si, pairava na penumbra de sua própria floresta insuspeita. Movia-se agora de leve e seus gestos eram fáceis e novos. As pupilas escurecidas e alargadas, de súbito um animal fino, assustado como uma corça. No entanto a atmosfera tornara-se tão lúcida que ele perceberia qualquer movimento de coisa viva ao seu redor. E seu corpo era apenas memória fresca, onde se moldariam como pela primeira vez as sensações.

O pequeno navio branco flutuava sobre grossas ondas, verdes, brilhantes e malfeitas – via ela deitada, espiando o pequeno quadro da parede.

– No dia 3, continuou Joana e fazia a voz clara, leve, com pequenos intervalos redondos, no dia 3 houve uma grande parada em benefício dos que nasciam. Era muito engraçado ver as pessoas cantando e empunhando bandeiras cheias de todas as não cores. Então ergueu-se um homem tênue e rápido como a brisa que sopra quando a gente está triste e disse de longe: eu. Ninguém ouviu, mas ele estava quase satisfeito. Foi quando se ergueu a grande ventania que sopra do noroeste e caminhou sobre todos com os grandes pés fogosos. Todos voltaram para suas casas, murchos, crestados de calor. Tiraram os sapatos, desafogaram os colarinhos. Todos os sangues corriam lentamente, pesadamente em todas as veias. E um grande não-ter-o-que-fazer arrastava-se nas almas. Nesse ínterim a terra continuava a rodar. Foi quando nasceu um menino chamado um nome. Ele era lindo, o menino. Grandes olhos que viam, lábios finos que sentiam, rosto magro que sentia, testa alta que sentia. A cabeça grande. Ele caminhava como quem sabe exatamente o lugar, esgueirando-se sem esforço entre a multidão. Quem fosse atrás dele chegaria. Quando ele se emocionava, quando se surpreendia, balançava a cabeça, assim, devagar, em não, como quem recebe mais do que esperou. Ele era lindo. E sobretudo estava vivo. E sobretudo eu o amava. Eu nascia, e meu coração era novo quando eu o via. Eu nascia, eu nascia, eu nascia. Agora um verso. O que eu quero, meu bem, é te ver sempre, meu bem. Como te vi hoje, meu bem. Mesmo que morreres, meu bem. Outro: Ouvi um dia uma flor cantando e tranquilamente me alegrei; depois me aproximei e, milagre, não era a flor que cantava mas um passarinho sobre a flor.

Joana falava sonolentamente no fim. Pelos olhos semi-cerrados o navio flutuava torto no quadro, as coisas do quarto espichavam-se, luminosas, o fim de uma dando a mão ao começo de outra. Pois se ela já sabia "que tudo era um", porque continuar a ver e a viver. O homem, de olhos fechados, mergulhara no seu ombro e ouvia sonhando sem dormir. A intervalos ela escutava dentro do silêncio vivo da tarde de verão movimentos abafados e vagarosos no assoalho frouxo de madeira. Era a mulher, a mulher, aquela mulher.

Nas primeiras vezes em que Joana viera à casa grande, desejara perguntar ao homem assim: ela é agora como sua mãe? não é mais sua amante? mesmo eu existindo ela ainda quer você em casa? Mas adiara sempre. No entanto, tão forte era a presença da outra na casa, que os três formavam um par. E jamais Joana e o homem se sentiam inteiramente sós. Joana também já quisera perguntar à própria mulher: mas onde, mas onde se desenrola a alma atrás de você? Isso porém fora um pensamento antigo. Porque um dia a enxergara de relance, as costas gordas concentradas num bloco indissolúvel de angústia sob o vestido de renda preta. Percebera-a também em outros momentos, rápidos, passando de um quarto à sala, sorrindo depressa, escapando horrível. Então Joana descobrira que ela era alguém vivo e negro. Orelhas grossas, tristes e pesadas, com um fundo escuro de caverna. O olhar terno, fugitivo e risonho de prostituta sem glória. Os lábios úmidos, emurchecidos, grandes, tão pintados. Como ela devia amar o homem. Os cabelos fofos eram ralos e avermelhados pelas pinturas sucessivas. E o quarto onde o homem dormia e recebia Joana, aquele quarto com as cortinas, quase sem poeira, ela o arranjara certamente. Como quem cose a mortalha do filho. Joana, aquela mulher e a esposa do professor. O que as ligava afinal? As três graças diabólicas.

– Amêndoas... – disse Joana voltando-se para o homem. O mistério e a doçura das palavras: amêndoa... ouça, pronunciada com cuidado, a voz na garganta, ressoando nas profundezas da boca. Vibra, deixa-me longa e estirada e curva como um arco. Amêndoa amarga, venenosa e pura.

As três graças amargas, venenosas e puras.

– Conte aquilo... – disse-lhe o homem.

– O quê?

– Do marinheiro. Se amares um marinheiro terás amado o mundo inteiro.

– Horrível... – riu Joana. Eu sei: eu mesma disse que devia ser tão verdade que já nascia com rima. Pois já nem me lembro mais.

– Que fazia domingo na praça. O cais do porto... – ajudou o homem.

Um dia, rompendo a quietude em que ficava junto de Joana, ele tentara falar:

– Eu sempre não fui nada.

– Sim, respondeu ela.

– Mas tudo o que houve não faria você ir embora...

– Não.

– Mesmo essa mulher... essa casa... É diferente, você sabe?

– Sei.

– Sempre fui como um mendigo, eu sei. Mas nunca pedia nada, nem precisava, nem sabia. Você veio, sabe? Eu pensava antes: nada era ruim. Mas agora... Por que você me diz sempre coisas tão loucas, juro, não posso...

Ela então se levantara sobre o cotovelo, subitamente séria, o rosto debruçado sobre ele:

– Você acredita em mim?

– Sim... – respondera ele assustado com sua violência.

– Você sabe que eu não minto, que nunca minto, mesmo quando... mesmo sempre? Sente? diga, diga. O resto então não importaria, nada importaria... Quando digo essas coisas... essas coisas loucas, quando não quero saber de seu passado e não quero contar sobre mim, quando eu invento palavras... Quando eu minto você sente que eu não minto?

– Sim, sim...

Ela deixara-se cair de novo sobre a cama, os olhos fechados, cansada. Não importa, não importa se depois ele não acreditar, se correr de mim como o professor. Por enquanto junto dele podia pensar. E por enquanto também é tempo. Abriu os olhos, sorriu para ele. Um menino, é isso que ele é. Deve ter tido muitas mulheres, muito amado, atraente, com os grandes cílios, os olhos frios. Até agora foi mais consistente, eu o dissolvi um pouco. Aquela mulher espera que eu vá embora um dia finalmente. Que ele volte.

– Que fazia domingo na praça? A praça é larga e solitária, disse afinal lentamente procurando recordar e atender ao pedido do homem. Sim... Tanto sol, preso ao chão como se nascesse dele. O mar, a barriga do mar, calada, arquejante. Os peixes em domingo, volteando rapidamente as caudas e serenos continuando a abrir caminho. Um navio parado. Domingo. Os marinheiros passeando pelo cais, pela praça. Um vestido cor-de-rosa aparecendo e desaparecendo numa esquina. As árvores cristalizadas em domingo – domingo é qualquer coisa como árvores de Natal –, brilhando silenciosas, contendo, assim, assim, a respiração. Um homem passando com uma mulher de vestido novo. O homem quer não ser nada, anda ao lado dela olhando-a quase de frente, indagando, indagando: diga, mande, pise. Ela não respondendo, sorrindo, puro domingo. Satisfação, satisfação. Pura tristeza sem mágoa. Tristeza que parece vir de trás da mulher de cor-de-rosa. Tristeza de domingo no cais do porto, os marinheiros emprestados à terra. Essa tristeza leve é a constatação de viver. Como não se sabe de que modo usar esse conhecimento súbito, vem a tristeza.

– Dessa vez a história foi diferente, queixou-se ele depois de uma pausa.

– É que estou apenas contando o que vi e não o que vejo. Não sei repetir, só sei uma vez as coisas, explicou-lhe ela.

– Foi diferente, mas tudo o que você vê é perfeito.

Ele usava ao redor do pescoço uma correntezinha com uma pequena medalha de ouro. De um lado Santa Teresinha, de outro S. Cristóvão. Ele era devoto dos dois:

– Mas não ligo muito a coisas de santos. Só às vezes.

Ela contara-lhe certa vez que em pequena podia brincar uma tarde inteira com uma palavra. Ele pedia-lhe então para inventar novas. Nunca ela o queria tanto como nesses momentos.

– Diga de novo o que é Lalande – implorou a Joana.

– É como lágrimas de anjo. Sabe o que é lágrimas de anjo? Uma espécie de narcisinho, qualquer brisa inclina ele de um lado para outro. Lalande é também mar de madrugada, quando nenhum olhar ainda viu a praia, quando o sol não nasceu. Toda a vez que eu disser: Lalande, você deve sentir a viração fresca e salgada do mar, deve andar ao longo da praia ainda escurecida, devagar, nu. Em breve você sentirá Lalande... Pode crer em mim, eu sou uma das pessoas que mais conhecem o mar.

Ele não sabia em instantes se vivia ou se estava morto, se tudo o que tinha era pouco ou demais. Quando ela falava, inventava doida, doida! A plenitude enchia-o tão grande como um vazio e sua angústia era a da limpidez do largo espaço acima das águas. Por que ficava estarrecido diante dela, estupefacto como uma parede branca ao luar? Ou talvez fosse acordar de repente, gritar: quem é esta? ela é demais na minha vida! não posso... quero voltar... Mas ele não o poderia mais – sentia subitamente e assustava-se perdido.

– Querido – disse ela interrompendo os pensamentos do homem.

– Sim, sim... – Ele escondeu o rosto naquele ombro macio e ela ficou sentindo sua respiração percorrê-la de ida e de volta, de ida e de volta. Eles dois eram duas criaturas. Que mais importa? – pensava ela. Ele moveu-se, ajeitou a cabeça na sua carne como... como uma ameba, um protozoário procurando cegamente o núcleo, o centro vivo. Ou como uma criança. Lá fora o mundo se escoava, e o dia, o dia, depois

a noite, depois o dia. Alguma vez haveria de partir, de se-
parar-se de novo. Ele também. Dela? Sim, em breve ela se
tornaria pesada a ele, com seu excesso de milagre. Como as
outras pessoas, inexplicavelmente envergonhado de si pró-
prio ansiaria por ir embora. Mas uma vingança: ele não se
libertaria inteiramente. Terminaria maravilhado consigo
mesmo, comprometendo-se, cheio de uma responsabilida-
de indefinida e angustiosa. Joana sorriu. Ele terminaria por
odiá-la, como se ela exigisse dele alguma coisa. Como sua
tia, seu tio que a respeitavam contudo, pressentindo que ela
não amava os seus prazeres. Confusamente supunham-na
superior e desprezavam-na. Oh Deus, de novo estava recor-
dando, contando a si mesma sua história, justificando-se...
Poderia pedir dados ao homem: eu sou assim? Mas o que
sabia ele? Afundava o rosto no seu ombro, escondia-se,
possivelmente feliz naquele instante. Sacudi-lo, contar-lhe:
homem, assim era Joana, homem. E assim fez-se mulher e
envelheceu. Acreditava-se muito poderosa e sentia-se infe-
liz. Tão poderosa que imaginava ter escolhido os caminhos
antes de neles penetrar – e apenas com o pensamento. Tão
infeliz que, julgando-se poderosa, não sabia o que fazer de
seu poder e via cada minuto perdido porque não o orientara
para um fim. Assim cresceu Joana, homem, fina como um
pinheiro, muito corajosa também. Sua coragem desenvol-
vera-se dentro do quarto e à luz fechada mundos luminosos
se formavam sem medo e sem pudor. Ela aprendeu desde
cedo a pensar e como não vira de perto nenhum ser huma-
no senão a si mesma, deslumbrou-se, sofreu, viveu um or-
gulho doloroso, às vezes leve mas quase sempre difícil de
se carregar. Como terminar a história de Joana? Se pudesse
colher e acrescentar o olhar que surpreendera em Lídia:
ninguém te amará... Sim, terminar assim: apesar de ser das

criaturas soltas e sozinhas no mundo, ninguém jamais pensou em dar alguma coisa a Joana. Não amor, entregavam-lhe sempre outro sentimento qualquer. Viveu sua vida, ávida como uma virgem – isso para o túmulo. Fez-se muitas perguntas, mas nunca pôde se responder: parara para sentir. Como nasceu um triângulo? antes em ideia? ou esta veio depois de executada a forma? um triângulo nasceria fatalmente? as coisas eram ricas. – Desejaria deter seu tempo na pergunta. Mas o amor a invadia. Triângulo, círculo, linhas retas... harmônico e misterioso como um arpejo. Onde se guarda a música enquanto não soa? – indagava-se. E rendida respondia: que façam harpas de meus nervos quando eu morrer.

O fim da lucidez de Joana misturou-se ao navio torto sobre as ondas, movendo-se? movendo-se. Bastava menear a cabeça para que as ondas a acompanhassem. Mas ela tivera coisa, ah isso tivera. Um marido, seios, um amante, uma casa, livros, cabelos cortados, uma tia, um professor. Titia, ouça-me, eu conheci Joana, de quem lhe falo agora. Era uma mulher fraca em relação às coisas. Tudo lhe parecia às vezes precioso demais, impossível de ser tocado. E, às vezes, o que usavam como ar de respirar, era peso e morte para ela. Veja se compreende a minha heroína, titia, escute. Ela é vaga e audaciosa. Ela não ama, ela não é amada. Você terminaria notando-o como Lídia, outra mulher – uma jovem mulher cheia do próprio destino –, observou-o. No entanto o que há dentro de Joana é alguma coisa mais forte que o amor que se dá e o que há dentro dela exige mais do que o amor que se recebe. Compreende, titia? Eu não a chamaria de herói, como eu mesma prometera a papai. Pois nela havia um medo enorme. Um medo anterior a qualquer julgamento e compreensão. – Me ocorreu agora isso: quem sabe, talvez a crença na sobrevivência futura venha de se notar que a vida sempre nos deixa intocados. – Compreende, titia? – esqueça a interrupção da vida futura – compreende? Vejo teus olhos abertos, me olhando com medo, com desconfiança, mas querendo mesmo assim, com tua feminilidade de velha, agora morta, é verdade, agora morta, gostar de mim, passando por cima de minha aspereza. Pobre!, a maior revolta que senti em ti, além das que eu provocava, pode ser resumida naquela frase quase diária que ainda ouço, misturada ao teu cheiro que não posso esquecer: "oh, não poder sair à rua na roupa em que se está!" Que mais te contar? Tenho os cabelos cortados, castanhos, às vezes uso franja. Vou morrer um dia. Nasci também. Havia o quarto com os dois. Ele era bonito. O quarto rodava um pouco. Tornava-se transparente e morno um véu um véu se aproximando vindo. Eles três formavam um casal e a quem contar isso? Poderia adormecer porque o homem nunca dormia e vigiaria como a chuva caindo. Otávio também era bonito, olhos. Esse era uma criança uma ameba flores brancura mornidão como o sono por enquanto é tempo por enquanto é vida mesmo que mais tarde... Tudo como a terra uma criança Lídia uma criança Otávio terra de profundis...

A VÍBORA

ue transponho suavemente alguma coisa...

Otávio lia enquanto o relógio estalava os segundos e rompia o silêncio da noite com 11 badaladas.

Que transponho suavemente alguma coisa... É a impressão. A leveza vem vindo não sei de onde. Cortinas inclinam-se sobre as próprias cinturas languidamente. Mas também a mancha negra, parada, dois olhos fitando e nada podendo dizer. Deus pousa numa árvore pipilando e linhas retas se dirigem inacabadas, horizontais e frias. É a impressão... Os momentos vão pingando maduros e mal tomba um ergue-se outro, de leve, o rosto pálido e pequeno. De repente também os momentos acabam. O sem-tempo escorre pelas minhas paredes, tortuoso e cego. Aos poucos acumula-se num lago escuro e quieto e eu grito: vivi!

A noite calava as coisas lá fora, algum sapo coaxava a intervalos. Cada arbusto era um vulto imóvel e recolhido.

Longe brilhavam e tremiam pequenas luzes avermelhadas, olhos insones. Na escuridão como da água.

Os girassóis altos e finos aclaravam o jardim em pausas.

O que pensar naquele instante? Ela estava tão pura e livre que poderia escolher e não sabia. Enxergava alguma coisa, mas não conseguiria dizê-la ou pensá-la sequer, tão diluída achava-se a imagem na escuridão de seu corpo. Sentia-a apenas e olhava expectante pela janela como se olhasse seu próprio rosto na noite. Seria esse o máximo que atingiria? Aproximar-se, aproximar-se, quase tocar, mas sentir atrás de si a onda sugando-a em refluxo firme e suave, sorvendo-a, deixando-lhe após a assombrada e impalpável lembrança de uma alucinação... Mesmo naquele momento, percebendo a noite e seus próprios pensamentos indistintos, ela ainda restava separada deles, sempre um pequeno bloco fechado, assistindo, assistindo. A luzinha brilhando silenciosamente, afastada, solitária, inconquistada. Jamais se entregava.

Olhou ao redor de si mesma, a sala arfando de leve, fracamente iluminada como numa vertigem. Alçou ligeiramente a cabeça, perscrutou o espaço e tinha consciência do resto da casa que se perdia na escuridão, os objetos sérios e vagos flutuando pelos cantos. Teria que andar às apalpadelas mal atravessasse a porta. E sobretudo se fosse uma criança, na casa da tia, acordando de noite, a boca seca, indo à procura de água. Sabendo as pessoas isoladas cada uma dentro do sono intransponível e secreto. Sobretudo se fosse aquela criança e como naquela noite ou naquelas noites, ao atravessar a copa surpreendesse o luar parado no quintal como num cemitério, aquele vento livre e indeciso... Sobretudo se

fosse a criança amedrontada esbarraria no escuro em objetos imprecisos e a cada toque eles se condensariam subitamente em cadeiras e mesas, em barreiras, de olhos abertos,
frios, inapeláveis. Mas também aprisionados então. Depois
da pancada a dor, o luar desnudando o terraço de cimento, a
sede subindo pelo corpo como uma lembrança. A quietude
profunda na casa, os telhados vizinhos imóveis e lívidos...

De novo Joana procurou voltar à sala, à presença de Otávio. Estava solta das coisas, de suas próprias coisas, por ela
mesma criadas e vivas. Largassem-na no deserto, na solidão
das geleiras, em qualquer ponto da terra e conservaria as
mesmas mãos brancas e caídas, o mesmo desligamento quase sereno. Tomar uma trouxa de roupa, ir embora devagar.
Não fugir mas ir. Isso, tão doce: não fugir, mas ir... Ou gritar
alto, alto e reto e infinito, com os olhos fechados, calmos.
Andar até encontrar as luzinhas vermelhas. Tão trêmulas
como num começo ou num fim. Também ela estava a morrer ou a nascer? Não, não ir: ficar presa ao instante como um
olhar absorto se prende ao vácuo, quieta, fixa no ar...

A trepidação de um bonde longínquo atravessou-a
como num túnel. Um trem noturno num túnel. Adeus. Não,
quem viaja à noite apenas olha pela janela e não dá adeus.
Ninguém sabe onde estão os casebres, os corpos sujos são
escuros e não precisam de luz.

– Otávio – disse porque estava perdida.

A voz de Joana riscou o quarto inexpressiva, leve, direta.
Ele ergueu os olhos:

– O que é? – indagou. E sua voz era cheia de sangue e de
carne, reuniu a sala na sala, designou e definiu as coisas. Um sogro reavivando as labaredas. Na praça vazia entrara a multidão.

Debateu-se um momento, tremeu, acordou. Tudo rebrilhava sob a lâmpada, tranquilo e alegre como num lar.

Dentro da penumbra de seu corpo a inutilidade da espera atravessou-a sonâmbula como um pássaro pela noite.

– Otávio – repetiu.

Ele aguardava. Então de novo consciente da sala, do homem e de si mesma, suas próprias chamas cresceram um pouco, ela soube que deveria prosseguir logicamente, que o homem esperava uma continuação. Procurou um aviso, um pedido, a palavra certa:

– Tenho a impressão de que você só veio para me dar um filho, disse e só agora tivera oportunidade de cumprir a promessa feita a Lídia. Mesmo continuar a querer o filho seria ligar-se ao futuro.

Otávio fitou-a um instante assustado, sem ternura.

– Mas – murmurou ele depois de um tempo e sua voz era hesitante, tímida e rouca – mas você não acha que tudo está quase terminado entre nós? – E quase desde o princípio... – aventurou.

– Só terminará quando eu tiver um filho, repetiu ela vaga, obstinada.

Otávio abriu os olhos em sua direção, o rosto pálido e subitamente cansado sob a lâmpada da mesa, onde o livro jazia aberto.

– Talvez um pouco forçada a ideia, não? – perguntou com ironia.

Ele não a notou:

– O que houve entre nós por si só não basta. Se eu ainda não lhe dei tudo, talvez você me procure um dia ou eu sinta sua falta. Enquanto que depois de um filho nada nos restará senão a separação.

– E o filho? – indagou ele. Qual será o papel do pobre em todo este sábio arranjo?

– Oh, ele viverá – respondeu.

– Só isso? – tentou ele o sarcasmo.

– Que é que se pode fazer além disso? – lançou ela no ar a pergunta, de leve, sem aguardar resposta.

Otávio, julgando-a à espera, apesar da timidez e da raiva em obedecer-lhe, concluiu hesitante:

– Ser feliz, por exemplo.

Joana ergueu os olhos e espiou-o de longe com surpresa e certa alegria – por quê? – indagou-se Otávio assustado. Enrubesceu como se tivesse dito uma graça ridícula. Ela viu-o raivoso e encolhido no fundo da cadeira, ofendido e pisado como se lhe tivessem cuspido no rosto. Imóvel, inclinou-se no entanto para ele, cheia de piedade e mais que piedade – apertou os lábios, confusa – um amor cheio de lágrimas. Fechou os olhos um instante, procurando não vê-lo, não querê-lo mais. No fundo ainda poderia unir-se a Otávio, mal sabia ele quanto. Bastava talvez falar-lhe sobre seus próprios medos, por exemplo, resumindo em palavras aquela sensação de vergonha e timidez quando chamava o garçom bem alto, todos ouviam e só ele não escutava. Ela riu. Otávio gostaria de saber disso. Também ligar-se-ia a ele resumindo-lhe sua vontade de fugir quando se via entre homens e mulheres risonhos e ela própria não sabia como colocar-se entre eles e provar seu corpo. Ou talvez estivesse errada e a confissão não os aproximasse. Do mesmo modo por que em pequena imaginava que, se pudesse contar a alguém o "mistério do dicionário", ligar-se-ia para sempre a esse alguém... Assim: depois do *l* era inútil procurar o *i*... Até o *l*, as letras eram camaradas, esparsas como feijão espalhado sobre a mesa da cozinha. Mas depois do *l*, elas se precipitavam sérias, compactas e nunca se poderia achar por exemplo uma letra fácil como *a* entre elas. Sorriu, descerrou os olhos aos poucos e agora tranquila, enfraquecida, já podia enxergá-lo friamente.

– Você bem sabe que não se trata disso. Oh, Otávio, Otávio... – murmurou depois de um instante, as chamas subitamente reavivadas – que nos acontece afinal, o que nos acontece?

A voz de Otávio era áspera e rápida quando ele respondeu:

– Você sempre me deixou só.

– Não..., assustou-se ela. – É que tudo o que eu tenho não se pode dar. Nem tomar. Eu mesma posso morrer de sede diante de mim. A solidão está misturada à minha essência...

– Não, repetiu ele, obstinado, os olhos turvos. – Você sempre me deixou só porque quis, porque quis.

– Não tenho culpa, gritou Joana, acredite... Está gravado em mim que a solidão vem de que cada corpo tem irremediavelmente seu próprio fim, está gravado em mim que o amor cessa na morte... Minha presença sempre foi essa marca...

– Quando eu me aproximei, disse ele sardônico, pensava que você ia me ensinar alguma coisa mais do que isso. Eu precisava, prosseguiu mais baixo, daquilo que adivinhava em você e que você sempre negou.

– Não, não..., falou ela fragilmente. Acredite, Otávio, meus conhecimentos mais verdadeiros atravessaram minha pele, me vieram quase traiçoeiramente... Tudo o que sei nunca aprendi e nunca poderia ensinar.

Silenciaram um instante. Num rápido momento Joana viu-se sentada junto ao pai, um laço no cabelo, numa sala de espera. O pai despenteado, um pouco sujo, suado, o ar alegre. Ela sentia o laço acima de todas as coisas. Estivera brincando com os pés na terra e calçara apressada os sapatos sem lavá-los e agora eles rangiam ásperos dentro do couro. Como podia o pai estar despreocupado, como não notava que os dois eram os mais miseráveis, que ninguém os olhava sequer? Mas ela queria provar a todos que continuaria assim, que o pai era dela, que o protegeria, que jamais lavaria os pés. Viu-se sentada junto do pai e não sabia o que sucedera um instante antes da cena e um instante depois. Só uma sombra e ela recolheu-se a ela ouvindo a música da confusão murmurar em suas profundezas, impalpável, cega.

– No entanto, prosseguia Otávio, você mesma disse: há certo instante na alegria de poder que ultrapassa o próprio medo da morte. Duas pessoas que vivem juntas – continuou mais baixo – procuram talvez atingir esse instante. Você não quis.

Ela não respondeu. Quando ela não lhe respondia, ele se assustava, voltava ao tempo de criança, as pessoas zangadas e ele obrigado a prometer, a agradar, cheio de remorsos. Lembrou-se de uma antiga culpa em relação a Joana e procurou livrar-se dela imediatamente, que ela nunca mais lhe pesasse. E mesmo sabendo que ia falar fora de propósito, não pôde conter-se:

– Você tem razão, Joana: tudo o que nos vem é matéria bruta, mas nada existe que escape à transfiguração – começou e imediatamente seu rosto cobriu-se de vergonha diante das sobrancelhas erguidas de Joana. Forçou-se a continuar. – Não lembra que um dia você me disse: "a dor de hoje será amanhã tua alegria; nada existe que escape à transfiguração." Não lembra? Talvez não tenha sido exatamente assim...

– Lembro.

– Bem... Naquele instante não julguei simples suas palavras. Tive até raiva, suponho...

– Sei – disse Joana. – Você me disse que se tivesse dor de fígado eu viria depor aos seus pés a mesma magnificência inútil.

– Sim, sim, foi isso mesmo, disse Otávio depressa, assustado. Você nem se intimidou, parece-me. Mas... olhe, acho que não lhe contei: depois compreendi que não havia riqueza supérflua no que você dissera... Acho que jamais confessei isso a você, ou já? Olhe, até suponho que nessa frase esteja a verdade. Nada existe que escape à transfiguração...
– Corou. – Talvez o segredo esteja aí, talvez seja isso o que eu adivinhei em você... Há certas presenças que permitem a transfiguração.

Como ela continuasse calada, ele empurrou-se mais uma vez.

– Você promete demais... Todas as possibilidades que você oferece às pessoas, dentro delas próprias, com um olhar... não sei.

E do mesmo modo como ela não se mostrara altiva ou diminuída quando ele ironizara da primeira vez sobre a magnificência inútil, agora ela não se rejubilava com a humildade de Otávio. Ele olhou-a. De novo não soubera ligar-se àquela mulher. De novo ela o vencia.

Havia silêncio na sala e a luz e o vazio repousavam sobre as teclas brancas do piano aberto. Alguma coisa era morta, lenta e verdadeira. Seria vão reatar a alegria de viver àquele instante.

– O que vem agora? – murmurou Otávio e dessa vez ele sucumbira ao fundo das coisas, fora arrastado à verdade de Joana.

– Não sei – disse.

Otávio perscrutou-a. Em que refletia ela, tão distante? Parecia pairar no centro de alguma coisa móvel, o corpo flutuante, sem apoio, quase inexistente. Como quando ela se punha a contar fatos passados e quando ele adivinhava que ela mentia. A cabeça de Joana vagava então leve, ela inclinava suavemente a testa, erguia-a, balbuciava, havia um núcleo sólido e astucioso a princípio, mas depois tudo era fluido e inocente. A inspiração guiava seus movimentos. E Otávio olhava-a esquecido de si próprio. A angústia terminava apertando seu coração, porque se ele quisesse tocá-la não poderia, havia um círculo intransponível e impalpável ao redor daquela criatura, isolando-a. A amargura tomava-o então porque ele não a sentia como mulher e sua qualidade de homem tornava-se inútil e ele não podia ser outra coisa senão um homem. No jardim da prima Isabel cresciam outrora rosas brancas. Ele olhava-as muitas vezes perplexo, sem saber de que modo tê-las, porque diante delas seu único poder, o de criatura, era vão. Encostava-as ao rosto, aos lábios, aspirava-as. Elas continuavam a tremer delicadamente viçosas. Se ao menos elas tivessem grossas pétalas – costumava pensar –, se ao menos fossem duras... se ao menos ao tombarem se espatifassem no solo com um ruído seco... Sentindo penetrá-lo a graça crescente das flores, como a de Joana, como a de Joana quando mentia, ele era presa de um furor impotente: amassava-as, mastigava-as, destruía-as.

Olhando-a agora, sem saber definir aquele rosto, quis reconstituir a antiga sensação, voltar ao jardim da prima Isabel.

Mas em lugar de qualquer outro pensamento, subitamente compreendeu que Joana iria embora. Sim, ele continuaria, havia Lídia, o filho, ele mesmo. Ela iria embora, ele sabia... Mas que importava, ele não precisava de Joana. Não, "não precisava", mas "não podia". E de repente não entendeu mesmo como vivera ao seu lado tanto tempo e parecia-lhe que depois de sua partida ele simplesmente teria que unir o presente àquele passado longínquo, da casa da prima

Isabel, de Lídia-noiva, dos projetos de um livro sério, de suas próprias torturas mornas, doces e repugnantes como um vício, àquele passado apenas interrompido por Joana. Seria bom livrar-se dela, fazer o plano do livro de direito civil. Já se via caminhando entre suas coisas com intimidade.

Mas viu também, com estranha e súbita clareza, a si mesmo numa tarde talvez, sentindo no peito uma dor fina, franzindo os olhos, sabendo as mãos vazias sem olhá-las. A indefinível sensação de perda quando Joana o deixasse... Ela surgiria nele, não na sua cabeça como uma lembrança comum, mas no centro de seu corpo, vaga e lúcida, interrompendo sua vida como o badalar súbito de um sino. Ele sofreria como se estivesse mentindo coisas loucas, mas como se não pudesse expulsar a alucinação e a aspirasse cada vez mais como a um ar que no interior do corpo pudesse benditamente se transformar em água. Sentiria o espaço aberto e límpido no seu coração, onde nenhuma das sementes de Joana pudera cobrir de floresta, porque ela era impossuída como o pensamento futuro. No entanto ela era dele, sim, profundamente, difusamente como uma música ouvida. Minha, minha, não partas! – implorou do fundo do seu ser.

Mas ele não pronunciaria tais palavras porque desejava que ela partisse, não saberia o que fazer de Joana se ela ficasse. Voltaria para Lídia, grávida e larga. Aos poucos soube que escolhera a renúncia do que era mais precioso em seu ser, daquela pequena porção sofredora que ao lado de Joana conseguia viver. E depois de um momento de dor, como se abandonasse a si próprio, os olhos fulgurando de cansaço, ele sentiu a impotência de desejar mais alguma coisa para o futuro. Perplexo, assistia afinal sua purificação violenta e estranha, como se entrasse lentamente num mundo inorgânico.

– Quer mesmo um filho? – perguntou ele porque, medroso da solidão em que avançara, quis subitamente ligar-se à vida, apoiar-se em Joana até poder apoiar-se em Lídia, como quem ao atravessar um abismo agarra-se às pedras pequenas até galgar a maior.

– Nós não saberíamos como fazê-lo viver..., veio a voz de Joana.

– Sim, tem razão... – disse ele assustado. E queria violentamente a presença de Lídia. Voltar, voltar para sempre. Compreendeu que esta seria a sua última noite com Joana, a última, a última...

– Não... talvez eu tenha razão, prosseguia Joana. Talvez não se pense em nada disto antes de ter um filho. Acende-se uma lâmpada bem forte, tudo fica claro e seguro, toma-se chá todas as tardes, borda-se, sobretudo uma lâmpada mais clara do que esta. E o filho vive. Isso é bem verdade... tanto que você não temeu pela vida do filho de Lídia...

Nenhum músculo do rosto de Otávio se moveu, seus olhos não pestanejaram. Mas todo ele se condensou e sua palidez brilhou como uma vela acesa. Joana continuava a falar vagarosamente, mas ele não a ouviu porque aos poucos, quase sem pensamentos, a cólera veio-lhe subindo do coração pesado, ensurdeceu-lhe os ouvidos, enublou-lhe os olhos. O que..., debatia-se nele a raiva trôpega e arquejante, então ela sabia sobre Lídia, sobre o filho... sabia e silenciava... Ela me enganava... – A carga asfixiante cada vez pesava mais fundo dentro dele. – Admitia minha infâmia serenamente... continuava a dormir junto de mim, a me suportar... desde quando? Por quê? mas, santo Deus, por quê?!...

– Infame.

Joana sobressaltou-se, levantou a cabeça rapidamente.

– Vil.

Sua voz mal se continha na garganta entumescida, as veias do pescoço e da testa latejavam grossas, nodosas, em triunfo.

– Foi tua tia quem te chamou de víbora. Víbora, sim. Víbora! Víbora! Víbora!

Agora ele gritava histérico sem se dominar. Víbora. Cada grito, mal se libertava da fonte convulsa, vibrava quase alegre no ar. Ela o observava a bater os punhos sobre a mesa, enlouquecido, chorando de ira. Quanto tempo? Porque Joana tinha consciência, como de uma música longínqua, de que tudo continuava a existir e os gritos não eram setas isoladas, mas fundiam-se no que existia. Até que subitamente exausto e vazio ele sentou-se numa cadeira, devagar. O rosto flácido, os olhos mortos, pôs-se a fitar um ponto no chão.

Os dois mergulharam em silêncio solitário e calmo. Passaram-se anos talvez. Tudo era límpido como uma estrela eterna e eles pairavam tão quietos que podiam sentir o tempo futuro rolando lúcido dentro de seus corpos com a espessura do longo passado que instante por instante acabavam de viver.

Até que a primeira claridade da madrugada começou a dissolver a noite. No jardim a escuridão esgarçava-se num véu e os girassóis tremiam à brisa nascente. Porém as luzinhas ainda vacilavam no fundo da distância como do mar.

A PARTIDA DOS HOMENS

No dia seguinte ela recebeu um bilhete do homem, despedindo-se:

"Tive que ir embora por um tempo, tive que ir, vieram me buscar, Joana. Eu volto, eu volto, espere por mim. Você sabe que não sou nada, eu volto. Eu nem chegaria a ver mesmo e a ouvir se não fosse você. Se me abandonar, ainda vivo um pouco, o tempo que um passarinho fica no ar sem bater asas, depois caio, caio e morro. Joana. Só não morro agora porque volto, não posso explicar mas posso ver através de você. Deus me ajude e Te ajude, única, eu volto. Nunca falei tanto a você, mas por obséquio: eu não estou quebrando a promessa, estou? Eu te entendo tanto tanto, tudo o que Você precisar de mim eu tenho que fazer. O Senhor te abençoe, vai aí minha medalhinha com S. Cristóvão e Santa Teresinha."

Dobrou a carta devagar. Lembrou-se do rosto do homem, nos últimos dias, seus olhos molhados, turvos, de gato doente. E ao redor a pele escurecida e arroxeada, como um crepúsculo. Para onde fora? A vida dele certamente era confusa. Confusa em fatos. E de certo modo ele lhe parecia sem ligação com esses fatos. A mulher que o sustentava, aquela distração em relação a si mesmo, como quem não teve um começo nem espera um fim... Para onde fora? Sofrera muito nos últimos dias. Ela deveria ter-lhe falado, pretendera-o mesmo, mas depois, distraída e egoísta, esquecera.

Para onde fora? – indagou-se, os braços vazios. O turbilhão rodava, rodava e ela era recolocada no início do caminho. Olhou o bilhete onde a letra era fina e indecisa, as frases escritas com cuidado e dificuldade. Reviu o rosto do amante e amava levemente aqueles traços claros. Fechou os olhos um instante, sentiu novamente o cheiro que vinha dos corredores sombrios daquela casa inexplorada, com apenas um aposento revelado, onde conhecera de novo o amor. Cheiro de maçãs velhas, doces e velhas, que vinha das paredes, de suas profundezas. Reviu a cama estreita que fora substituída por uma larga e fofa, a timidez alegre com que o homem abrira a porta nesse dia e espiara o rosto de Joana surpreendendo sua surpresa. O naviozinho sobre as ondas excessivamente verdes, quase submerso. Entrecerravam-se as pálpebras e o navio movia-se. Mas tudo deslizara sobre ela, nada a possuíra... Em resumo apenas uma pausa, uma só nota, fraca e límpida. Ela que violentara a alma daquele homem, enchera-a de uma luz cujo mal ele ainda não compreendera. Ela própria mal fora tocada. Uma pausa, uma nota leve, sem ressonância...

Agora de novo um círculo de vida que se fechava. E ela na casa quieta e silenciosa de Otávio, sentindo sua ausência em cada lugar onde no dia anterior ainda haviam existido seus objetos e onde agora havia um vazio ligeiramente empoeirado. Bom que não o vira sair. E bom que, nos primeiros instantes, ao notar dolorosamente a sua partida, julgara ainda possuir o amante. "Ao notar a partida de Otávio...?" – pensou ela. Mas por que mentir? Quem partira fora ela mesma e também Otávio o sabia.

Despiu a roupa que vestira para ir ver o homem. A mulher de lábios úmidos e frouxos deveria estar sofrendo, sozinha e velha na casa grande. Joana nem sabia o nome dele... Não desejara sabê-lo, dissera-lhe: quero te conhecer por outras fontes, seguir para tua alma por outros caminhos; nada desejo de tua vida que passou, nem teu nome, nem teus sonhos, nem a história do teu sofrimento; o mistério explica mais que a claridade; também não indagarás de mim o que quer que seja; sou Joana, tu és um corpo vivendo, eu sou um corpo vivendo, nada mais.

Ó tola, tola, talvez tivesse sofrido então e amado se soubesse de seu nome, de suas esperanças e dores. É verdade que o silêncio entre eles fora assim mais perfeito. Mas de que valia... Apenas corpos vivendo. Não, não, ainda melhor assim: cada um com um corpo, empurrando-o para frente, querendo sofregamente vivê-lo. Procurando cheio de cobiça subir sobre o outro, pedindo cheio de covardia astuciosa e comovente para existir melhor, melhor. Interrompeu-se com o vestido na mão, atenta, leve. Tomou consciência da solidão em que se achava, no centro de uma casa vazia. Otávio estava com Lídia, sentiu, foragido junto daquela mulher grávida, cheia de sementes para o mundo.

Aproximou-se da janela, sentiu frio nos ombros nus, olhou a terra onde as plantas viviam quietas. O globo movia-se e ela estava sobre ele, de pé. Junto a uma janela, o céu por cima, claro, infinito. Era inútil abrigar-se na dor de cada caso, revoltar-se contra os acontecimentos, porque os fatos eram apenas um rasgão no vestido, de novo a seta muda indicando o fundo das coisas, um rio que seca e deixa ver o leito nu.

A frescura da tarde arrepiou sua pele, Joana não conseguiu pensar nitidamente – havia alguma coisa no jardim que a deslocava para fora de seu centro, fazia-a vacilar... Ficou de sobreaviso. Algo tentava mover-se dentro dela, respondendo, e pelas paredes escuras de seu corpo subiam ondas leves, frescas, antigas. Quase assustada, quis trazer a sensação à consciência, porém cada vez mais era arrastada para trás numa doce vertigem, por dedos suaves. Como se fosse de manhã. Perscrutou-se, subitamente atenta como se tivesse avançado demais. De manhã?

De manhã. Onde estivera alguma vez, em que terra estranha e milagrosa já pousara para agora sentir-lhe o perfume? Folhas secas sobre a terra úmida. O coração apertou-se-lhe devagar, abriu-se, ela não respirou um momento esperando... Era de manhã, sabia que era de manhã... Recuando como pela mão frágil de uma criança, ouviu, abafado como em sonho, galinhas arranhando a terra. Uma terra quente, seca... o relógio batendo tin-dlen... tin... dlen... o sol chovendo em pequenas rosas amarelas e vermelhas sobre as casas... Deus, o que era aquilo senão ela mesma? mas quando? não, sempre...

As ondas cor-de-rosa escureciam, o sonho fugia. Que foi que perdi? que foi que perdi? Não era Otávio, já longe, não era o amante, o homem infeliz nunca existira. Ocorreu-lhe que este deveria estar preso, afastou o pensamento impaciente, fugindo, precipitando-se... Como se tudo participasse da mesma loucura, ouviu subitamente um galo próximo lançar seu grito violento e solitário. Mas não é de madrugada, disse trêmula, alisando a testa fria... O galo não sabia que ia morrer! O galo não sabia que ia morrer! Sim, sim: papai, que é que eu faço? Ah, perdera o compasso de um minueto... Sim... o relógio batera tin-dlen, ela erguera-se na ponta dos pés e o mundo girara muito mais leve naquele momento. Havia flores em alguma parte? e uma grande vontade de se dissolver até misturar seus fins com os começos das coisas. Formar uma só substância, rósea e branda – respirando mansamente como um ventre que se ergue e se abaixa, que se ergue e se abaixa... Ou estava errada e aquele sentimento era atual? O que havia naquele instante longínquo era alguma coisa verde e vaga, a expectativa da continuação, uma inocência impaciente ou paciente? espaço vazio... Que palavra poderia exprimir que naquele tempo alguma coisa não se condensara e vivia mais livre? Olhos abertos flutuando entre folhas amarelecendo, nuvens brancas e muito embaixo o campo estendido, como envolvendo a terra. E agora... Talvez tivesse aprendido a falar, só isso. Mas as palavras sobrenadavam no seu mar, indissolúveis, duras. Antes era o mar puro. E apenas restava do passado, correndo dentro dela, ligeira e trêmula, um pouco da antiga água entre cascalhos, sombria, fresca sob as árvores, as folhas mortas e castanhas forrando as margens. Deus, como ela afundava docemente na incompreensão de si própria. E como podia, muito mais ainda, abandonar-se ao refluxo firme e macio. E voltar. Haveria de reunir-se a si mesma um dia, sem as palavras duras e solitárias... Haveria de se fundir e ser de novo o mar mudo brusco forte largo imóvel cego vivo. A morte a ligaria à infância.

Mas a grade do portão era feita por homens; e lá estava brilhando sob o sol. Ela notou-a e no choque da súbita percepção era de novo uma mulher. Estremeceu, perdida do sonho. Quis voltar, quis voltar. Em que pensava? Ah, a morte a ligaria à infância. A morte a ligaria à infância. Mas agora seus olhos, voltados para fora, haviam esfriado. Agora a morte era outra, desde que homens faziam a grade do portão e desde que ela era mulher... A morte... E de súbito a morte era a cessação apenas... Não! gritou-se assustada, não a morte.

Corria agora à frente de si mesma, já longe de Otávio e do homem desaparecido. Não morrer. Porque... na verdade onde estava a morte dentro dela? – indagou-se devagar, com astúcia. Dilatou os olhos, ainda não acreditando na pergunta tão nova e cheia de deslumbramento que se permitira inventar. Caminhou até o espelho, olhou-se – ainda viva! O pescoço claro nascendo dos ombros delicados, ainda viva! – procurando-se. Não, ouça! ouça! não existia o começo da morte dentro de si! E como atravessasse o próprio corpo violentamente, em busca, sentiu levantar-se de seu interior uma aragem de saúde, todo ele abrindo-se para respirar...

Não podia pois morrer, pensou então lentamente. Aos poucos o pensamento frágil tomou uma longa inspiração, cresceu, tornou-se compacto e inteiriço como um bloco que se ajustasse dentro de seus contornos. Não havia espaço para outra presença, para a dúvida. O coração batendo com força, ouviu-se atenta. Riu alto, um riso trêmulo e gorjeado. Não... Mas era tão claro... Não morreria porque... porque ela não podia acabar. Isso, isso. Uma rápida visão, a de um velhinho, talvez uma mulher, uma mistura de fisionomias indistintas numa só, balançando a cabeça, negando, envelhecendo. Não, disse-lhes suavemente do fundo da nova verdade, não... As fisionomias se esfumaçaram, pois se ela fora sempre. Pois seu corpo nunca precisara de ninguém, era livre. Pois se ela andava pelas ruas. Bebia água, abolira Deus, o mundo, tudo. Não morreria. Tão fácil. Estendeu as mãos sem saber o que fazer delas, depois que sabia. Talvez alisar-se, beijar-se, cheia de curiosidade e de gratidão reconhecer-se. Já sem se prender a raciocínios, pareceu-lhe tão ilógico morrer, que se deteve agora estupefacta, cheia de terror. Eterna? Violento... Reflexões rapidíssimas e brilhantes como faíscas que se entrecruzavam eletricamente, fundindo-se mais em sensações do que pensamentos. Mudava sem transição, em saltos leves, de plano a plano, cada vez mais altos, claros e tensos. E de instante a instante caía mais fundo dentro de si própria, em cavernas de luz leitosa, a respiração vibrante, cheia de medo e felicidade pela jornada, talvez como as quedas quando se dorme. A intuição de que eram frágeis aqueles momentos fazia-a mover-se de leve, com receio de se tocar, de agitar e dissolver aquele milagre, o tenro ser de luz e de ar que tentava viver dentro dela.

Novamente deslizou para a janela, respirando cuidadosamente. Mergulhada numa alegria tão fina e intensa quase como o frio do gelo, quase como a percepção da música. Ficou de lábios trêmulos, sérios. Eterna, eterna. Brilhantes e confusos sucediam-se largas terras castanhas, rios verdes e faiscantes, correndo com fúria e melodia. Líquidos resplandecentes como fogos derramando-se por dentro de seu corpo transparente de jarros imensos... Ela própria crescendo sobre a terra asfixiada, dividindo-se em milhares de partículas vivas, plenas de seu pensamento, de sua força, de sua inconsciência... Atravessando a limpidez sem névoas levemente, andando, voando...

Um pássaro lá fora voou obliquamente!

Atravessou o ar puro e desapareceu na densidade de uma árvore.

O silêncio ficou palpitando atrás dele em pequenos sussurros. Há quanto tempo estivera observando-o, sem sentir.

Ah, então ela morreria.

Sim, que morreria. Simples como o pássaro voara. Inclinou a cabeça para um lado, suavemente, como uma louca mansa: mas é fácil, tão fácil... nem é inteligente... é a morte que virá, que virá... Quantos segundos haviam decorrido? Um ou dois. Ou mais. O frio. Percebeu que por um milagre tomara agora consciência daqueles pensamentos, que eles eram tão profundos que haviam decorrido sob outros materiais e fáceis, simultaneamente... Enquanto ela vivera o sonho, observara as coisas ao redor, usara-as mentalmente, nervosamente, como quem crispa as mãos na cortina enquanto olha a paisagem. Fechou os olhos, docemente serena e cansada, envolvida em longos véus cinzentos. Um momento ainda sentiu a ameaça de incompreensão nascendo do interior longínquo do corpo como um fluxo de sangue. Eternidade é o não ser, a morte é a imortalidade – boiavam ainda, soltos restos de tormenta. E ela não sabia mais a que ligá-los, tão cansada.

Agora a certeza de imortalidade se desvanecera para sempre. Mais uma vez ou duas na vida – talvez num fim de tarde, num instante de amor, no momento de morrer – teria a sublime inconsciência criadora, a intuição aguda e cega de que era realmente imortal para todo o sempre.

A VIAGEM

impossível explicar. Afastava-se aos poucos daquela zona onde as coisas têm forma fixa e arestas, onde tudo tem um nome sólido e imutável. Cada vez mais afundava na região líquida, quieta e insondável, onde pairavam névoas vagas e frescas como as da madrugada. Da madrugada erguendo-se no campo. Na fazenda do tio acordara no meio da noite. As tábuas da casa velha rangiam. De lá do primeiro andar, solta no espaço escuro, afundara os olhos na terra, procurando as plantas que se torciam enrodilhadas como víboras. Alguma coisa piscava na noite, espiando, espiando, olhos de um cão deitado, vigilante. O silêncio pulsava no seu sangue e ela arfava com ele. Depois a madrugada nasceu sobre as campinas, rosada, úmida. As plantas eram de novo verdes e ingênuas, o talo fremente, sensível ao sopro do vento, nascendo da morte. Já nenhum cão vigiava a fazenda, agora tudo era um, leve, sem consciência. Havia então um cavalo solto na campina quieta, a mobilidade de suas pernas apenas adivinhada. Tudo impreciso, mas de súbito na imprecisão encontrara uma nitidez que ela apenas adivinhara e não pudera possuir inteiramente. Perturbada pensara: tudo, tudo. As palavras são seixos rolando no rio. Não fora felicidade o que sentira então, mas o que sentira fora fluido, docemente amorfo, instante resplandecente, instante sombrio. Sombrio como a casa que ficava na estrada, coberta de árvores folhudas e poeira do caminho. Nela morava um velho descalço e dois filhos, grandes e belos reprodutores. O mais novo tinha olhos, sobretudo olhos, beijara-a uma vez, um dos melhores beijos que jamais sentira, e alguma coisa erguia-se no fundo de seus olhos quando ela lhe estendia a mão. Essa mesma mão que agora repousava sobre o espaldar de uma cadeira, como um pequeno corpinho aparte, saciado, negligente. Quando era pequena costumava fazê-la dançar, como a uma mocinha tenra. Dançara-a mesmo para o homem que fugia ou fora preso, para o amante – pois ela tivera um amante – e ele fascinado e angustiado terminara por apertá-la, beijá-la como se realmente a mão sozinha fosse uma mulher. Ah, vivera muito, a fazenda, o homem, as esperas. Verões inteiros, onde as noites decorriam insones, deixavam-na pálida, os olhos escuros. Dentro da insônia, várias insônias. Conhecera perfumes. Um cheiro de verdura úmida, verdura aclarada por luzes, onde? Ela pisara então na terra molhada dos canteiros, enquanto o guarda não prestava atenção. Luzes pendendo de fios, balançando, assim, meditando indiferentes, música de banda no coreto, os negros fardados e suados. As árvores iluminadas, o ar frio e artificial de prostitutas. E sobretudo havia o que não se pode dizer: olhos e boca atrás da cortina espiando, olhos de um cão piscando a intervalos, um rio rolando em silêncio e sem saber. Também: as plantas crescendo de sementes e morrendo. Também: longe, em alguma parte, um pardal sobre um galho e alguém dormindo. Tudo dissolvido. A fazenda também existia naquele mesmo instante e naquele mesmo instante o ponteiro do relógio ia adiante, enquanto a sensação perplexa via-se ultrapassada pelo relógio.

Dentro de si sentiu de novo acumular-se o tempo vivido. A sensação era flutuante como a lembrança de uma casa em que se morou. Não da casa propriamente, mas da posição da casa dentro de si, em relação ao pai batendo na máquina, em relação ao quintal do vizinho e ao sol de tardinha. Vago, longínquo, mudo. Um instante... acabou-se. E não podia saber se depois desse tempo vivido viria uma continuação ou uma renovação ou nada, como uma barreira. Ninguém impedia que ela fizesse exatamente o contrário de qualquer das coisas que fosse fazer: ninguém, nada... Não era obrigada a seguir o próprio começo... Doía ou alegrava? No entanto sentia que essa estranha liberdade que fora sua maldição, que nunca a ligara nem a si própria, essa liberdade era o que iluminava sua matéria. E sabia que daí vinha sua vida e seus momentos de glória e daí vinha a criação de cada instante futuro.

Sobrevivera como um germe ainda úmido entre as rochas ardentes e secas, pensava Joana. Naquela tarde já velha – um círculo de vida fechado, trabalho findo – naquela tarde em que recebera o bilhete do homem, escolhera um novo caminho. Não fugir, mas ir. Usar o dinheiro intocado do pai, a herança até agora abandonada, e andar, andar, ser humilde, sofrer, abalar-se na base, sem esperanças. Sobretudo sem esperanças.

Amava sua escolha e a serenidade agora alisava-lhe o rosto, permitia vir à sua consciência momentos passados, mortos. Ser uma daquelas pessoas sem orgulho e sem pudor que a qualquer instante se confiam a estranhos. Assim antes da morte ligar-se-ia à infância, pela nudez. Humilhar-se afinal. Como pisar-me bastante, como abrir-me para o mundo e para a morte?

O navio flutuava levemente sobre o mar como sobre mansas mãos abertas. Inclinou-se sobre a murada do convés e sentiu a ternura subindo vagarosamente, envolvendo-a na tristeza.

No convés os passageiros andavam de um lado para outro, suportando mal a espera do lanche, ansiosos por reunir o tempo ao tempo. Alguém disse, a voz magoada: olhe a chuva! Realmente aproximava-se a névoa cinzenta, olhos cerrados. Daí a pouco viam-se pingos largos caírem sobre as tábuas do convés, o barulho de alfinetes tombando, e sobre a água, furando-lhe imperceptivelmente a superfície. O vento esfriou, levantaram-se as golas dos casacos, os olhares subitamente inquietos, fugindo da melancolia como Otávio com seu medo de sofrer. De profundis...

De profundis? Alguma coisa queria falar... De profundis... Ouvir-se! prender a fugaz oportunidade que dançava com os pés leves à beira do abismo. De profundis. Fechar as portas da consciência. A princípio perceber água corrompida, frases tontas, mas depois no meio da confusão o fio de água pura tremulando sobre a parede áspera. De profundis. Aproximar-se com cuidado, deixar escorrerem as primeiras vagas. De profundis... Cerrou os olhos, mas apenas viu penumbra. Caiu mais fundo nos pensamentos, viu imóvel uma figura magra debruada de vermelho claro, o desenho com um dedo úmido de sangue sobre um papel, quando se arranhara e enquanto o pai procurava iodo. No escuro das pupilas, os pensamentos alinhados em forma geométrica, um superpondo-se ao outro como um favo de mel, alguns casulos vazios, informes, sem lugar para uma reflexão. Formas fofas e cinzentas, como um cérebro. Mas isso ela não via realmente, procurava imaginar talvez. De profundis. Vejo um sonho que tive: palco escuro abandonado, atrás de uma escada. Mas no momento em que penso "palco escuro" em palavras, o sonho se esgota e fica o casulo vazio. A sensação murcha e é apenas mental. Até que as palavras "palco escuro" vivam bastante dentro de mim, na minha escuridão, no meu perfume, a ponto de se tornarem uma visão penumbrosa, esgarçada e impalpável, mas atrás da escada. Então terei de novo uma verdade, o meu sonho. De profundis. Por que não vem o que quer falar? Estou pronta. Fechar os olhos. Cheia de flores que se transformam em rosas à medida que o bicho treme e avança em direção ao sol do mesmo modo que a visão é muito mais rápida que a palavra, escolho o nascimento do solo para... Sem sentido. De profundis, depois virá o fio de água pura. Eu vi a neve tremer cheia de nuvens rosadas sob a função azul das vísceras cobertas de moscas ao sol, a impressão cinzenta, a luz verde e translúcida e fria que existe atrás das nuvens. Fechar os olhos e sentir como uma cascata branca rolar a inspiração. De profundis. Deus meu eu vos espero, deus vinde a mim, deus, brotai no meu peito, eu não sou nada e a desgraça cai sobre minha cabeça e eu só sei usar palavras e as palavras são mentirosas e eu continuo a sofrer, afinal o fio sobre a parede escura, deus vinde a mim e não tenho alegria e minha vida é escura como a noite sem estrelas e deus por que não existes dentro de mim? por que me fizestes separada de ti? deus vinde a mim, eu não sou nada, eu sou menos que o pó e eu te espero todos os dias e todas as noites, ajudai-me, eu só tenho uma vida e essa vida escorre pelos meus dedos e encaminha-se para a morte serenamente e eu nada posso fazer e apenas assisto ao meu esgotamento em cada minuto que passa, sou só no mundo, quem me quer não me conhece, quem me conhece me teme e eu sou pequena e pobre, não saberei que existi daqui a poucos anos, o que me resta para viver é pouco e o que me resta para viver no entanto continuará intocado e inútil, por que não te apiedas de mim? que não sou nada, dai-me o que preciso, deus, dai-me o que preciso e não sei o que seja, minha desolação é funda como um poço e eu não me engano diante de mim e das pessoas, vinde a mim na desgraça e a desgraça é hoje, a desgraça é sempre, beijo teus pés e o pó dos teus pés, quero me dissolver em lágrimas, das profundezas chamo por vós, vinde em meu auxílio que eu não tenho pecados, das profundezas chamo por vós e nada responde e meu desespero é seco como as areias do deserto e minha perplexidade me sufoca, humilha-me, deus, esse orgulho de viver me amordaça, eu não sou nada, das profundezas chamo por vós, das profundezas chamo por vós das profundezas chamo por vós das profundezas chamo por vós...

Agora os pensamentos já se solidificavam e ela respirava como um doente que tivesse passado pelo grande perigo. Alguma coisa ainda balbuciava dentro dela, porém seu cansaço era grande, tranquilizava seu rosto em máscara lisa e de olhos vazios. Das profundezas a entrega final. O fim...

Mas das profundezas como resposta, sim como resposta, avivada pelo ar que ainda penetrava no seu corpo, ergueu-se a chama queimando lúcida e pura... Das profundezas sombrias o impulso inclemente ardendo, a vida de novo se levantando informe, audaz, miserável. Um soluço seco como se a tivessem sacudido, alegria rutilando em seu peito intensa, insuportável, oh o turbilhão, o turbilhão.

Sobretudo aclarava-se aquele movimento constante no fundo do seu ser – agora crescia e vibrava. Aquele movimento de alguma coisa viva procurando libertar-se da água e respirar. Também como voar, sim como voar... andar na praia e receber o vento no rosto, os cabelos esvoaçantes, a glória sobre a montanha... Erguendo-se, erguendo-se, o corpo abrindo-se para o ar, entregando-se à palpitação cega do próprio sangue, notas cristalinas, tintilantes, faiscando na sua alma... Não havia desencanto ainda diante de seus próprios mistérios, ó Deus, Deus. Deus, vinde a mim não para me salvar, a salvação estaria em mim, mas para abafar-me com tua mão pesada, com o castigo, com a morte, porque sou impotente e medrosa em dar o pequeno golpe que transformará todo o meu corpo nesse centro que deseja respirar e que se ergue, que se ergue... o mesmo impulso da maré e da gênese, da gênese! o pequeno toque que no louco deixa viver apenas o pensamento louco, a chaga luminosa crescendo, flutuando, dominando. Oh, como se harmonizava com o que pensava e como o que pensava era grandiosamente esmagadoramente fatal. Só te quero, Deus, para que me recolhas como a um cão quando tudo for de novo apenas sólido e completo, quando o movimento de emergir a cabeça das águas for apenas uma lembrança e quando dentro de mim só houver conhecimentos, que se usaram e se usam e por meio deles de novo se recebem e se dão coisas, oh Deus.

O que nela se elevava não era a coragem, ela era substância apenas, menos do que humana, como poderia ser herói e desejar vencer as coisas? Não era mulher, ela existia e o que havia dentro dela eram movimentos erguendo-a sempre em transição. Talvez tivesse alguma vez modificado com sua força selvagem o ar ao seu redor e ninguém nunca o perceberia, talvez tivesse inventado com sua respiração uma nova matéria e não o sabia, apenas sentia o que jamais sua pequena cabeça de mulher poderia compreender. Tropas de quentes pensamentos brotavam e alastravam-se pelo seu corpo assustado e o que neles valia é que encobriam um impulso vital, o que neles valia é que no instante mesmo de seu nascimento havia a substância cega e verdadeira criando-se, erguendo-se, salientando como uma bolha de ar a superfície da água, quase rompendo-a... Ela notou que ainda não adormecera, pensou que ainda haveria de estalar em fogo aberto. Que terminaria uma vez a longa gestação da infância e de sua dolorosa imaturidade rebentaria seu próprio ser, enfim enfim livre! Não, não, nenhum Deus, quero estar só. E um dia virá, sim, um dia virá em mim a capacidade tão vermelha e afirmativa quanto clara e suave, um dia o que eu fizer será cegamente seguramente inconscientemente, pisando em mim, na minha verdade, tão integralmente lançada no que fizer que serei incapaz de falar, sobretudo um dia virá em que todo meu movimento será criação, nascimento, eu romperei todos os nãos que existem dentro de mim, provarei a mim mesma que nada há a temer, que tudo o que eu for será sempre onde haja uma mulher com meu princípio, erguerei dentro de mim o que sou um dia, a um gesto meu minhas vagas se levantarão poderosas, água pura submergindo a dúvida, a consciência, eu serei forte como a alma de um animal e quando eu falar serão palavras não pensadas e lentas, não levemente sentidas, não cheias de vontade de humanidade, não o passado corroendo o futuro! o que eu disser soará fatal e inteiro! não haverá nenhum espaço dentro de mim para eu saber que existem o tempo, os homens, as dimensões, não haverá nenhum espaço dentro de mim para notar sequer que estarei criando instante por instante, não instante por instante: sempre fundido, porque então viverei, só então viverei maior do que na infância, serei brutal e malfeita como uma pedra, serei leve e vaga como o que se sente e não se entende, me ultrapassarei em ondas, ah, Deus, e que tudo venha e caia sobre mim, até a incompreensão de mim mesma em certos momentos brancos porque basta me cumprir e então nada impedirá meu caminho até a morte-sem-medo, de qualquer luta ou descanso me levantarei forte e bela como um cavalo novo.

POSFÁCIO
O ROMANCE INAUGURAL

Na abertura do romance *Perto do coração selvagem*, que inaugura a longa e bem-sucedida obra literária da escritora Clarice Lispector, consta uma epígrafe com frase extraída do *Retrato do artista quando jovem*, de James Joyce.

Na referida frase, que passou a figurar como epígrafe do livro por sugestão do amigo e primeiro amor de Clarice, Lúcio Cardoso, há o registro de situações de vida e estados de espírito dignos de nota – solidão, abandono, felicidade e o fato de se estar perto do selvagem coração da vida –, palavras que despertam na escritora a ideia do título do livro.

E que despertam no leitor curiosidades a respeito do próprio enredo do romance.

Por que teria Clarice aceitado a sugestão do amigo? Ou melhor, o que a epígrafe anunciaria em relação aos dezenove capítulos do romance, distribuídos em duas partes? E por que "perto", não "dentro" do selvagem coração da vida?

É o que o leitor talvez haverá de responder, ao seguir as várias possíveis direções de leitura dessa linguagem que tanto surpreendeu os críticos, desde os momentos que se seguiram a sua aparição nas livrarias: dezembro de 1943.

Clarice completava justamente nesse mês de dezembro 23 anos. E encerrava nessa data o processo de edição do livro que escrevera, segundo um dos seus depoimentos, de março a novembro de 1942, embora o tenha finalizado em 1943, ano de seu casamento com o diplomata Maury Gurgel Valente.

Já contava com algumas publicações, é bem verdade, no campo do jornalismo, em que atuava paralelamente a suas atividades como aluna do curso de Direito. E já se lançara no campo da ficção desde maio de 1940, data de seu primeiro conto publicado na imprensa carioca. Mas, apesar de anunciarem qualidades que se firmarão ao longo da sua trajetória, os contos publicados nos primeiros anos da década passam praticamente despercebidos pela crítica.

Somente com esse romance, o primeiro, o inaugural, é que Clarice conquista presença no painel da crítica brasileira. E de modo um tanto inusitado.

Causa impacto.

Intriga os críticos.

Logo no mês seguinte ao do lançamento, em artigo de 15 de janeiro de 1944 de *O Estado de S. Paulo*, Sérgio Milliet se refere a essa moça totalmente desconhecida, "de nome estranho e até desagradável, pseudônimo, sem dúvida". Constata que, pela primeira vez, um autor nacional "vira no avesso, sem piedade nem concessões, uma vida eriçada de recalques". Trata-se da vida de Joana, a protagonista.

E também, penso eu, poderia até se referir à vida de algumas das personagens secundárias, pois nada parece escapar ao olhar arguto da narradora...

Em julho do mesmo ano, é a vez de Antonio Candido afirmar, em artigo da *Folha da Manhã*, hoje *Folha de S. Paulo*, que levou "um verdadeiro choque ao ler o romance diferente que é *Perto do coração selvagem*".

O crítico reconhece no romance tanto uma "força de exceção", uma personalidade forte da protagonista, quanto um novo procedimento por parte da autora ao desenvolver o que ele chama de "romance de aproximação", ou seja, uma tentativa de o narrador chegar cada vez mais perto do problema, eu diria inclusive da própria personagem, de modo a tentar desmanchar a distância entre o sujeito que narra e o objeto narrado.

Um dos meios de se conseguir tal efeito, acrescento, é o uso do fluxo de consciência: o narrador acompanha o que se passa no de-dentro da personagem, deixando-se levar por esse movimento da intimidade, e para isso se ausenta, aparentemente, da cena narrativa. Escreve o que se passa, mas como se não escrevesse, isto é, como se apenas existisse a personagem experimentando o que ele, na realidade, escreve. Dessa forma, o de-dentro da personagem aparece com destaque e de modo direto a nós, leitores.

O livro obteve sucesso. Ganhou o prêmio Graça Aranha em outubro de 1944, quando Lauro Escorel ressalta, em artigo publicado no jornal *A Manhã*, nesse mesmo mês de outubro, duas características da escritora Clarice que reiteram o que os demais críticos já haviam percebido: uma personalidade verdadeiramente excepcional pelos seus recursos técnicos e pela força da sua natureza, inteligente e sensível.

Sob esse aspecto, o livro é inaugural não só porque é o primeiro, a ser seguido por outros, mas porque inaugura um novo modo de narrar na literatura brasileira.

De fato, trata-se de uma linguagem que causa estranhamentos ao leitor pelo uso inusitado de certos procedimentos. É o caso da pontuação estranha, visível nos títulos dos capítulos cercados por reticências, como se o próprio título surgisse já fragmentado, pois as reticências substituem o que aí não aparece, embora acenem ao fato de que existe algo que pode ter acontecido e que poderá mesmo ser preenchido, a seguir, pelo narrador.

A fragmentação está patente também no modo de uso dos dois tempos da narrativa, o de um passado mais remoto e o de um presente, num jogo de alternância que confere, aliás, um ritmo incisivo à narrativa.

E está presente ainda em cenas construídas mediante sucessão de palavras sem vírgulas, sem conexão entre elas. No entanto, se as palavras aparecem como células separadas entre si, o efeito pode ser duplo, o de realçar cada uma delas e o de sugerir que são experimentadas simultaneamente. Assim sendo, emoções, sensações, sobressaltos têm efeito perturbador, ganham densidade. E traduzem ora uma confusão de reações turbulentas da personagem, ora seu deslumbramento iluminado diante de certas situações de vida.

Curiosamente, o próprio processo de escrita do romance é fragmentado: a autora Clarice Lispector mantém o hábito de escrever em "folhas soltas", que depois passam por um processo de montagem ao organizar os capítulos da narrativa. A anotação imediata favorece a captação da matéria no momento mesmo em que ela surge, no calor da hora.

Para a autora, a fragmentação faz parte, pois, do seu repertório criativo e contraria uma possível linha contínua e lógica da ação. Esse método de registrar palavras e orações em pedaços de papéis avulsos, usando, por exemplo, guardanapos e talões de cheque, a escritora carrega pela sua vida afora.

Mas não basta à ficcionista simplesmente contar uma história nos termos do chamado 'romance de formação', em que o narrador acompanha a personagem por períodos de sua vida (nesse romance em questão, da infância à maturidade).

No fio de tal sequência há o tecido de um vaivém de linhas que se enredam para traduzir o que está nos bastidores de tal desenho narrativo. A menina Joana não é simplesmente uma menina órfã de mãe, que vive com o pai, e depois com a tia, e num internato. A adolescente Joana não é simplesmente a mocinha que não se dá bem com as pessoas que a rodeiam e que se deslumbra com a própria descoberta da feminilidade. A mulher Joana não é apenas uma esposa nos moldes patriarcais, que poderia se conformar com o esquema da rotina, sem espantos nem inquietações. Nem é também a amante que se detém no afeto, contentando-se com momentos temporários de júbilo.

O leitor percorrerá tais caminhos, mas descobrindo, a cada passo da sua própria leitura, horizontes outros que habitam esse estranho e indevassável universo que emerge, a cada página, das profundezas de um ser em processo de busca. Das profundezas. De profundis, para usar expressão bíblica reiterada em capítulos do livro.

E uma das reações nossas, como leitores, pode ser a da surpresa diante da própria arte da escrita. Logo no início do romance, eis-nos diante da experiência do poético em ebulição pelo poder de criatividade da criança, que surge mediante bichos estranhos, frases estranhas, reações estranhas.

Há galinhas e minhocas e a percepção da truculenta devoração de uns pelos outros, que garante a sobrevivência.

Há jogo de ruídos e silêncios. E, num primeiro contexto de solidão, a menina inventa as brincadeiras que são, por sua vez, manifestações poéticas que tentam preencher o vazio e o sem sentido da vida.

O teor de 'poeticidade', tão patente nessa fase de vida da criança Joana, desloca a personagem dos padrões e conduz a artista Joana para um campo de percepções em que cabe o poder revitalizante da transgressão, que se faz, curiosamente, com uma arma poderosa: o livro. A personagem que na infância brinca com os livros e as palavras também rouba um livro e usa-o numa cena de agressão ao outro. Sem culpa. Sem limites entre o bem e o mal. Eis a víbora. Já estaria então perto do selvagem coração da vida?

Quem sabe haveria aí a fonte de um poder maior dessa personagem que se alça no centro da ação e para além dos limites da domesticação, numa clara atitude emancipatória da futura mulher Joana?

Daí a importância enorme que tem essa personagem ao figurar sempre como centro da ação, de modo quase obsessivo, já que tudo gira em torno desse protagonismo. E a narradora parece ter consciência desse fato que repercute no próprio corpo do texto do romance, ao atribuir essa ação a sua personagem Joana, em relação à boneca Arlete. Ao se referir ao atropelamento fatal de Arlete por um carro azul e à fada que ressuscita a boneca, a narradora afirma: "A filha, a fada, o carro azul não eram senão Joana, do contrário seria pau a brincadeira. Sempre arranjava um jeito de se colocar no papel principal exatamente quando os acontecimentos iluminavam uma ou outra figura."

Pois esse individualismo exacerbado, que uma parte da crítica condenou, é, creio eu, um dos pontos fortes do romance. É o que sustenta, de fato, a obra. E essa energia se manifesta num constante e bem fundado voltar-se para si mesma em profundo questionamento.

Causa espanto e desconcerto, por parte do leitor, a pergunta que a menina Joana faz: "– Ser feliz é para se conseguir o quê?"

E causa espanto e desconcerto a dissecação da vida adulta vista de outro prisma, dilacerador, quando a protagonista se defronta com o 'outro' e dele se sente diferente, distante. E só.

O repertório dos laços sociais funciona então no romance como um salutar instrumento para apontar sinais de sua própria intimidade de mulher. Tanto pode estar na sua aproximação da 'mulher da voz', a que vive, simplesmente, sem nada problematizar, quanto na aproximação da 'mulher do outro' (do marido, do amante, do professor), em três triangulações amorosas que traduzem diferentes situações de comportamento e de reações pessoais.

O leitor poderá divisar aí relações afetivas de diferentes teores. "Como ligar-se a um homem senão permitindo que ele a aprisione?"– é uma das perguntas. E como resolver tal situação?

Desvenda-se então um difícil, mas atraente, processo de emancipação, que inclui a possibilidade da experiência do sentir-se livre, como um "animal perfeito", ciente de que "é preciso não ter medo de criar" inclusive o seu próprio roteiro de vida sentimental. Mas que, no caso de Joana, contém excepcionalidades, pois a personagem caminha pretensiosamente para além até da própria liberdade. "Liberdade é pouco. O que desejo não tem nome."

Entre tantas tentativas de se enfrentar 'o outro', é o próprio poder da água que atua como elemento revigorante. Imagens construídas a partir desse elemento, a água, acabam sendo responsáveis pelo traçado do percurso dessa vida de mulher.

Na praia, diante do mar, a criança tem a consciência da morte do pai. Na banheira do internato, num dos melhores momentos do livro, a adolescente descobre mais uma face sua de mulher, a que se desconhece. No final do romance, mais uma imagem da água, a ser desfrutada pelo leitor quando chegar a essas últimas páginas do livro...

Tinha razão o crítico Francisco de Assis Barbosa ao afirmar, em depoimento de 1987, que esse romance apareceu como "uma extraordinária revelação literária". Ele, que leu os originais, antes de sua publicação, percebeu logo a "força de exceção" não mais apenas da personagem, mas do próprio romance.

Joana é uma personagem intensa e pautada pela complexidade. Múltipla. Quer e não quer. Pode tudo. Mas não pode. Segue. Mas não chega. Deseja. Mas não deseja mais. Não seria esse o próprio risco do intrincado bordado da vida, com avanços e recuos?

Não há como, no final da leitura, deixarmos de lançar um olhar para o que virá depois desse romance, para as personagens protagonistas que serão inventadas pela escritora Clarice Lispector ao longo das décadas seguintes. Seguirão um caminho que as leva para além do caminho percorrido por Joana? Com a mesma intensidade? Em romances criados com quais poderes inovadores? Mas essa é outra história. Que fica para futuras respostas nossas, diante da leitura dos demais romances de Clarice. Vamos a este, o primeiro. E, depois, aos outros.

— NÁDIA BATTELLA GOTLIB

*Este livro, publicado em
nova edição no quadro das
comemorações do centenário
de nascimento de Clarice
Lispector, foi impresso
com as fontes Didot
e Akzidenz Grotesk.*